Rituels, Astrologie Et Numérologie 2024

Astrologues

Alina A. Rubi et Angeline Rubi

Publication indépendante

Copyright © 2024

Astrologues : Alina A. Rubi et Angeline Rubi

Courriel : rubiediciones29@gmail.com

Éditeur : Angeline A. Rubi

rubiediciones29@gmail.com

Rituels 2024

Dans ce livre, nous vous proposons différents sorts et rituels pour attirer l'abondance économique dans votre vie en 2024, car cette année sera riche en défis.

Lorsque tout semble s'écrouler, l'aide spirituelle arrive à point nommé.

La magie fonctionne. La plupart des gens qui réussissent, croyez-le ou non, la pratiquent, mais bien sûr ils ne vous le diront pas. Elles ont obtenu leurs triomphes parce qu'elles ont soigneusement exécuté certains des rituels que nous proposons dans ce livre.

Si vous en avez assez d'échouer en amour ces dernières années, vous avez acheté le bon livre, car votre vie amoureuse changera complètement lorsque vous mettrez en pratique les rituels que nous recommandons.

Les sorts de santé et les rituels de magie blanche vous aideront à maintenir ou à améliorer votre état de santé, mais n'oubliez jamais qu'ils ne remplacent pas un médecin ni les traitements qu'il prescrit.

Les sorts de santé sont très populaires dans le monde de la magie, après les sorts d'amour ou d'argent, les sorts de santé sont très recherchés pour leur grande efficacité, bien qu'ils ne soient pas faciles à lancer car la santé est un sujet sensible.

Il existe un nombre infini de raisons pour lesquelles un rituel ou un sort ne fonctionne pas, et nous commettons des erreurs sans nous en rendre compte.

L'énergie rituelle est gaspillée si trop de personnes savent ce que vous faites.

Pour obtenir des résultats positifs, il est nécessaire de pratiquer au bon moment.

Ces périodes magiques sont liées à l'astrologie et nous devons les connaître et planifier nos rituels pour ces périodes, qui seront les plus propices à l'exécution de notre magie.

Rituels de janvier

Janvier 2024

Dimanche	Lundi	Mardi	Mercredi	Jeudi	Vendredi	Samedi
	1				5	
	8		10	11 Nouvelle lune		
21		23		25 Pleine lune	26	
	29	30	31			

11 janvier 2024 Nouvelle Lune en Capricorne 20°44'

25 janvier 2024 Pleine Lune   Lion5°14

Les meilleurs rituels pour l'argent

Jeudi 11 janvier 2024 (jour de Jupiter). Nouvelle Lune en Capricorne, signe de stabilité. Journée favorable pour organiser nos objectifs, nos vocations, notre carrière, pour obtenir des honneurs. Pour demander une augmentation, faire des présentations, parler en public. Pour les sorts liés au travail ou à l'argent. Rituels liés à l'obtention de promotions, aux relations avec les supérieurs et à la réussite.

Jeudi 25 janvier 2024 (jour de Vénus) Favorable aux sorts d'argent, d'amour et aux questions juridiques. Rituels liés à la prospérité et à l'obtention d'un emploi.

Rituel pour la chance dans les jeux de hasard

Sur un billet de loterie, vous écrivez le montant que vous voulez gagner au recto du billet et votre nom au verso. Brûlez le billet avec une bougie verte. Recueillez les cendres dans une carte violette et enterrez-les.

Gagner de l'argent avec le Bol de Lune. Pleine Lune

C'est nécessaire :
- 1 verre en cristal
- 1 grande assiette
- Sable fin
- Paillettes d'or
- 4 tasses de sel marin
- 1 quartz malachite
- 1 tasse d'eau de mer, de rivière ou d'eau bénite
- Bâtons de cannelle ou cannelle en poudre
- Basilic frais ou séché
- Persil frais ou séché
- Grains de maïs
- 3 notes sur les désignations actuelles

Placez les trois billets de banque pliés, les bâtons de cannelle, les grains de maïs, la malachite, le basilic et le persil dans le verre. Mélangez les paillettes au sable et ajoutez-en dans le verre jusqu'à ce qu'il soit complètement rempli. Sous la lumière de la pleine lune, placez l'assiette avec les quatre tasses de sel de mer.

Placez la coupe au centre du plat, entourée de sel. Versez la coupe d'eau bénite dans le plat de manière à bien humidifier le sel, laissez-le là toute la nuit à la lumière de la pleine lune et une partie de la journée jusqu'à ce que l'eau s'évapore et que le sel soit à nouveau sec.

Ajouter quatre ou cinq grains de sel dans le verre et verser le reste.

Portez le verre dans la maison, dans un endroit visible ou dans l'endroit où vous gardez l'argent.

Chaque jour de pleine lune, dispersez un peu du contenu du bol dans tous les coins de la maison et balayez-le le lendemain.

Les meilleurs rituels pour l'amour

Vendredi 19 janvier 2024 *(Jour de Vénus). Convient aux sorts et rituels liés à l'amour, aux contrats et aux partenariats.*

Sortilège pour adoucir un être cher

Vous écrivez le nom complet de votre proche et votre propre nom au-dessus sept fois sur un morceau de papier brun.

Mettez ce papier dans un verre et ajoutez-y du miel, de la cannelle, un quartz rose et des morceaux d'écorce d'orange.

Tout en accomplissant le rituel, répétez dans votre esprit : "Je t'aime et seul le véritable amour règne entre nous". Conservez-la dans un endroit sombre.

Rituel pour attirer l'amour

Il est nécessaire

- Huile de rose

- 1 quartz rose

- 1 pomme

- 1 rose rouge dans un petit vase

- 1 rose blanche dans un petit vase

- 1 long ruban rouge

- 1 bougie rouge

Pour une efficacité maximale, ce rituel doit être effectué le vendredi ou le dimanche, à l'heure des planètes Vénus ou Jupiter.

Il est nécessaire de consacrer la bougie avant de commencer le rituel à l'huile de rose. Allumez la bougie. Coupez la pomme en deux morceaux et placez-en un dans le vase de roses rouges et l'autre dans le vase de roses blanches. Attachez le ruban rouge autour des deux vases. Laissez-les à côté de la bougie toute la nuit jusqu'à ce que la bougie soit éteinte. Pendant ce temps, répétez dans votre esprit : "Que la personne destinée à me rendre heureux se présente sur mon chemin, je l'accueille et je l'accepte.

Lorsque les roses sont sèches, enterrez-les avec les moitiés de pommes dans votre jardin ou dans un pot avec du quartz rose.

Pour attirer l'amour impossible

C'est nécessaire :
- 1 rose rouge
- 1 rose blanche
- 1 bougie rouge
- 1 bougie blanche
- 3 bougies jaunes
- Fontaine en verre
- Pentacle de Vénus #4

Pentacle de Vénus n° 4.

Placez les bougies jaunes en forme de triangle. Écrivez vos souhaits d'amour et le nom de la personne que vous voulez dans votre vie au dos du pentagramme de Vénus, placez la fontaine au-dessus du pentagramme, au centre. Allumez la bougie rouge et la bougie blanche et placez-les dans la fontaine avec les roses. Répétez cette phrase : "Univers, fais entrer dans mon cœur la lumière de l'amour de (nom complet)".

Répétez cette opération trois fois. Lorsque les bougies sont éteintes, emportez le tout dans la cour et enterrez-le.

Les meilleurs rituels pour la santé

Mardi 30 janvier 2024 (*Jour de Mars*). *Pour se protéger ou recouvrer la santé.*

Sortilège pour protéger la santé de nos animaux de compagnie

Faites bouillir de l'eau minérale, du thym, du romarin et de la menthe. Lorsqu'elle refroidit, la mettre dans un flacon pulvérisateur devant une bougie verte et une bougie dorée.

Une fois les bougies consommées, il est nécessaire d'utiliser ce spray sur l'animal pendant neuf jours. Surtout sur la poitrine et le dos.

Sort d'amélioration instantanée

Vous devriez obtenir une bougie blanche, une bougie verte et une bougie jaune.

Consacrez-les (de la base à la mèche) avec de l'essence de pin et placez-les sur une table avec une nappe bleue en forme de triangle.

Au centre, placez un petit récipient en verre contenant de l'alcool et une petite améthyste.

Au fond du récipient, une feuille de papier avec le nom de la personne malade ou une photographie avec le nom complet et la date de naissance au dos.

Allumez les trois bougies et laissez-les brûler jusqu'à ce qu'elles soient complètement consumées.

Pendant l'exécution de ce rituel, visualisez la personne en parfaite santé.

Le charme de l'amincissement

Piquez votre doigt avec une épingle et placez trois gouttes de sang et une cuillerée de sucre sur un morceau de papier blanc, puis fermez le papier et enveloppez le sang dans le sucre.

Mettez ce papier dans un récipient en verre neuf et non décoré, remplissez-le à moitié d'urine, laissez-le toute la nuit devant une bougie blanche et enterrez-le le lendemain.

Rituels pour le mois de février

Février 2024

Dimanche	Lundi	Mardi	Mercredi	Jeudi	Vendredi	Samedi
				1		
	5			8	9 Nouvelle lune	10
			21		23 Pleine lune	
25	26			29		

9 février 2024 Nouvelle Lune Verseau 20°40

23 février 2024 Pleine Lune Vierge 5°22

Les meilleurs rituels pour gagner de l'argent

9 février 2024 (jour de Vénus). Dans cette phase, nous travaillons pour augmenter ou attirer quelque chose. Dans ce cycle, nous demandons que l'amour vienne, que l'argent augmente sur nos comptes ou que notre prestige au travail augmente.

Rituel pour augmenter la clientèle. Croissant de lune gibbeux

C'est nécessaire :
- *5 feuilles de rue*
- *5 feuilles de verveine*
- *5 feuilles de romarin*
- *5 grains de gros sel de mer*
- *5 grains de café*
- *5 grains de blé*
- *1 pierre magnétique*
- *1 sac en tissu blanc*
- *Fil rouge*
- *Peinture rouge*
- *1 carte de visite*
- *1 pot avec une grande plante verte*

- 4 quartz citrine

Placez tous les matériaux dans le sac blanc, à l'exception de l'aimant, du carton et des citrines.

Cousez-le ensuite avec du fil rouge et écrivez le nom de l'entreprise à l'extérieur à l'encre rouge. Laissez le sac sous le comptoir ou dans un tiroir du bureau pendant toute une semaine.

Après ce temps, enterrez-la au fond du vase avec la pierre d'aimant et la carte de visite. Enfin, placez les quatre citrines au-dessus de la terre dans le vase, en direction des quatre points cardinaux.

Sort de prospérité

C'est nécessaire :

- 3 pyrites ou quartz citrine

- 3 pièces d'or

- 1 bougie dorée

- 1 sachet rouge

Le premier jour de la Nouvelle Lune, placez une table près d'une fenêtre ; placez les pièces de monnaie et le quartz en forme de triangle sur la table. Allumez la bougie, placez-la au centre et, en regardant le ciel, répétez trois fois la prière suivante :

"Lune tu illumines ma vie, utilise le pouvoir que tu as pour attirer l'argent vers moi et faire se multiplier ces pièces".

Lorsque la bougie est éteinte, placez les pièces et le quartz dans le sac rouge de votre main droite et portez-le toujours sur vous : ce sera votre talisman pour attirer l'argent, personne ne doit le toucher.

Les meilleurs rituels pour l'amour
11, 22, 25 février 2024. Pour les sorts ou rituels liés à l'amour, aux contrats et aux partenariats.

Rituel de consolidation de l'amour

Ce sort est le plus efficace pendant la phase de pleine lune.

C'est nécessaire :
- 1 boîte en bois
- Photographies
- Mel
- Pétales de roses rouges
- 1 quartz améthyste
- Bâtons de cannelle

Prenez les photos, écrivez-y leurs nom, prénom et date de naissance et placez-les à l'intérieur de la boîte de manière qu'elles se fassent face.

Ajouter le miel, les pétales de rose, l'améthyste et la cannelle.

Placez la boîte sous le lit pendant treize jours. Après cette période, retirez l'améthyste de la boîte et lavez-la avec de l'eau de lune.

Il doit être conservé comme amulette pour attirer l'amour désiré. Le reste doit être emporté dans une rivière ou une forêt.

Rituel pour sauver un amour en déclin

C'est nécessaire :
- 2 bougies rouges
- 1 feuille de papier jaune
- 1 enveloppe rouge
- 1 crayon rouge
- 1 photo de votre proche et 1 photo de vous-même
- 1 conteneur métallique
- 1 ruban rouge
- Nouvelle aiguille à coudre

Ce rituel est plus efficace pendant la phase du croissant de lune et les vendredis à la planète Vénus ou au soleil. Les bougies doivent être consacrées avec de l'huile de rose ou de cannelle.

Écrivez votre nom et celui de votre partenaire sur le papier jaune avec le crayon rouge. Écrivez également ce que vous voulez en mots courts mais précis. Inscrivez les noms sur chaque bougie à l'aide de l'aiguille à coudre. Allumez les bougies et placez le papier entre les photos, face à face, et attachez-les avec le ruban. Brûlez les photos dans le récipient métallique avec la bougie portant votre nom et répétez-le à haute voix :

"La nôtre est renforcée par la force de l'univers et toutes les énergies qui existent dans le temps".

Mettez les cendres dans le sac et, lorsque les bougies sont éteintes, placez le sac sous le matelas à la tête du lit.

Les meilleurs rituels pour la santé

4, 12, 19 février 2024. Cette période est conseillée pour les opérations chirurgicales, car elle favorise la cicatrisation.

Rituel de santé

Faire bouillir des pétales de rose blanche, du romarin et de la rue dans une casserole. Une fois refroidie, ajoutez de l'essence de rose et de l'huile d'amande. Allumez cinq bougies violettes dans votre bain, que vous aurez préalablement consacré avec de l'huile d'orange et de l'eucalyptus. Écrivez le nom de la personne sur l'une des bougies. Prenez un bain avec cette eau et, ce faisant, visualisez que la maladie ne s'approchera pas de vous ou de votre famille.

Rituel de santé pendant la phase du croissant de lune

Sur une feuille d'aluminium, placez du sel marin, 3 gousses d'ail, 4 feuilles de laurier, 5 feuilles de rue, une tourmaline noire et un morceau de papier portant

Rituels pour le mois de mars

Mars 2024

Dimanche	Lundi	Mardi	Mercredi	Jeudi	Vendredi	Samedi
					1	
		5			8	9
10 Nouvelle lune						
				21		23
24 Pleine lune	25	26			29	30
31						

10 mars 2024 Nouvelle Lune Poissons 20°16'.

24 mars 2024 Pleine Lune Balance 5°07' (éclipse de Lune 5°13')

Les meilleurs rituels pour gagner de l'argent

8,10,22 mars 2024. Rituels liés à la prospérité et à l'obtention d'un emploi.

Sorts pour réussir les entretiens d'embauche.

Placez trois feuilles de sauge, de basilic, de persil et de rue dans un sac vert. Ajouter un quartz œil de tigre et une malachite.

Fermez le sac avec un ruban doré. Pour l'activer, placez-le dans votre main gauche à hauteur du cœur et, quelques centimètres plus haut, placez votre main droite par-dessus, fermez les yeux et imaginez que de l'énergie blanche s'écoule de votre main droite dans votre main gauche, recouvrant le sac.

Garde-le dans votre portefeuille ou votre poche.

Rituel permettant de s'assurer que l'argent est toujours présent dans le foyer.

Vous aurez besoin d'un pot en verre blanc, de haricots noirs, de haricots rouges, de graines de tournesol, de grains de maïs, de grains de blé et d'encens de myrrhe.

Mettez tout dans la bouteille dans le même ordre, fermez-la avec un couvercle en liège et versez la fumée d'encens dans la bouteille. Placez-la ensuite comme décoration dans la cuisine.

Sortilège gitan pour la prospérité

Prenez un pot en terre cuite de taille moyenne et colorez-le en vert. Mettez au fond de la myrrhe, une pièce de monnaie et quelques gouttes d'huile d'olive.

Recouvrez d'une couche de terre et ajoutez les graines de votre plante préférée. Ajoutez de la cannelle et encore de la terre. Placez le pot dans la salle à manger et arrosez-le pour qu'il pousse.

Les meilleurs rituels pour l'amour

1, 17, 24, 29 mars 2024

Rituel pour éviter les problèmes relationnels

Ce rituel doit être pratiqué pendant l'éclipse lunaire ou la phase de pleine lune.

C'est nécessaire :
- 1 ruban adhésif blanc
- 1 paire de ciseaux neufs
- 1 stylo à bille rouge

Écrivez sur le ruban blanc, à l'encre rouge, le problème que vous rencontrez et le nom de la personne. Coupez-le ensuite en sept morceaux avec des ciseaux et, ce faisant, répétez-le à voix haute :

"C'est mon problème. Je veux que vous partiez et que vous ne reveniez jamais. S'il vous plaît, éloignez-le de moi. C'est comme ça.

Mettez tout dans un sac noir et enterrez-le.

Cravates d'amour

C'est nécessaire :

- Bonne herbe

- Basilic

- Photo en pied de la personne aimée sans lunettes

- Photo du corps entier sans lunettes

- 1 écharpe en soie jaune

- 1 boîte en bois

Placez les deux photographies à l'intérieur de la boîte en inscrivant le nom au dos de chacune d'elles. Placez le mouchoir jaune à l'intérieur et saupoudrez-

le de basilic et de bonne herbe. Laissez-l'exposé aux énergies de la lune. Le lendemain, enterrez-le dans un endroit où personne ne le sait. Tout en creusant le trou, visualisez ce que vous voulez. À la pleine lune, déterrez la boîte et jetez-la dans une rivière ou dans la mer.

Les meilleurs rituels pour la santé

Tous les jours sauf le samedi.

Sort de dépression

Prenez une figue avec votre main droite et placez-la sur le côté gauche de votre bouche, sans ne la mâcher ni l'avaler. Prends ensuite un raisin avec ta main gauche et place-le sur le côté droit de ta bouche, sans le mâcher. Lorsque tu as les deux raisins dans la bouche, mords-les en même temps et avale-les : le fructose qu'ils dégagent te donnera de l'énergie et de la joie.

Sort de récupération

Éléments nécessaires :

   -1 bougie blanche ou rose

-Des pétales de   rose

-Huile d' eucalyptus

   -Huile de citron

   -Huile d'orange

Écrivez le nom de la personne qui a besoin du sort à l'aide d'une aiguille à coudre. Consacrez la bougie avec les huiles sous la pleine lune, en répétant : "La Terre, l'Air, le Feu, l'Eau apportent la Paix, la Santé, la Joie et l'Amour dans la vie de (dites le nom de la personne)". Laissez la bougie se consumer complètement. Les restes peuvent être jetés n'importe où.

Rituels pour le mois d'avril

Avril 2024

Dimanche	Lundi	Mardi	Mercredi	Jeudi	Vendredi	Samedi
	1				5	
	8 Nouvelle lune	9	10			
21	22 Pleine lune	23		25	26	
	29	30				

8 avril 2024 Nouvelle Lune et éclipse solaire totale en Bélier19°22   '.

22 avril 2024 Pleine Lune du Scorpion 23° :48'

Les meilleurs rituels pour l'argent

8, 7, 13, 22 avril 2024

Sort "Ouvrir les voies de l'abondance".

C'est nécessaire :
- *Je serai diplômé*
- *Romero*
- *3 pièces d'or*
- *1 bougie dorée*
- *Bougie argentée*
- *1 bougie blanche*

Effectuer 24 heures après la Nouvelle Lune.

Disposez les bougies en forme de pyramide, placez une pièce de monnaie à côté de chacune d'elles et les feuilles de laurier et de romarin au centre de ce triangle. Allumez les bougies dans l'ordre suivant : d'abord l'argent, le blanc et l'or. Répétez cette invocation : "Avec la puissance de l'énergie purificatrice et de l'énergie infinie, j'invoque l'aide de toutes les entités qui me protègent pour guérir mon économie.

Laissez les bougies brûler complètement et gardez les pièces dans votre portefeuille ; ces trois pièces ne doivent pas être dépensées. Lorsque le laurier et le romarin sont secs, brûlez-les et faites passer la fumée de cet encens dans votre maison ou votre entreprise.

Les meilleurs rituels pour l'amour
2, 13, 17 avril 2024

L'amour marocain

C'est nécessaire :
- La salive de l'autre personne
- Le sang de quelqu'un d'autre

- Eau de rose
- 1 écharpe rouge
- Fil rouge
- 1 quartz rose

le nom de la personne. Pliez le papier et attachez-le avec un ruban violet. Portez cette amulette dans la poche de votre veste ou dans votre sac.

- 1 tourmaline noire

Placez le mouchoir rouge sur une table. Placez de la terre sur le mouchoir et, par-dessus, de la salive, du quartz rose, de la tourmaline noire et le sang de la personne que vous voulez attirer. Arrosez le tout d'eau de rose et nouez le mouchoir avec le fil rouge, en veillant à ce que les éléments ne se détachent pas. Enterrez le foulard.

Sortilège pour adoucir un être cher

Écrivez sept fois le nom complet de votre proche et le vôtre ci-dessus sur un morceau de papier brun. Placez ce papier dans un verre de cristal et ajoutez-y du miel, de la cannelle, un quartz rose et des morceaux d'écorce d'orange. Tout en effectuant le rituel, répétez dans votre esprit : "Je t'aime et seul le véritable amour règne entre nous".

Conserver à l'abri de la lumière.

Les meilleurs rituels pour la santé

13, 21 et 27 avril 2024.

Sort de santé romain

Ajouter cinq feuilles de romarin, de la rue et des pétales de rose blanche et les faire bouillir. Une fois froid, placer le mélange sur le troisième pentagramme de Mercure pendant trois heures. Ajouter de l'essence de bois de santal, de l'huile de rose et de l'huile de lavande. Offrir ces bains aux anges gardiens de l'enfant pendant cinq jours, en allumant une bougie violette pour transformer le négatif en positif, qui doit être préalablement consacrée avec de l'huile de mandarine.

Troisième pentacle de Mercure

Rituels pour le mois de mai

Mai 2024

Dimanche	Lundi	Mardi	Mercredi	Jeudi	Vendredi	Samedi
			1			
5			8 Nouvelle lune	9	10	
		21	22 Pleine lune	23		25
26			29	30	31	

8 mai 2024 Nouvelle Lune en Taureau 18°01'.

22 mai 2024 Pleine Lune Sagittaire 2°54'

Les meilleurs rituels pour gagner de l'argent

6, 13, 21, 25 mai 2024

Aimant à argent Crescent

C'est nécessaire :

- 1 verre à vin vide

- 2 bougies vertes

- 1 poignée de riz blanc

- 12 pièces ayant cours légal

- 1 aimant

- Riz blanc

Allumez les deux bougies, une de chaque côté du verre. Placez l'aimant au fond du verre. Prenez ensuite une poignée de riz blanc et placez-la dans le verre. Placez ensuite les douze pièces de monnaie dans le verre. Lorsque les bougies sont consumées jusqu'au bout, placez les pièces dans le coin de prospérité de votre maison ou de votre entreprise.

Sort pour nettoyer la maison ou l'entreprise de toute négativité.

C'est nécessaire :
- Une coquille d'œuf
- 1 bouquet de fleurs blanches
- Eau bénite ou eau de pleine lune
- Lait
- Cannelle en poudre
- Nouveau seau de nettoyage
- New mo'

Commencez par balayer la maison ou l'entreprise de l'intérieur vers l'extérieur, en vous répétant dans votre esprit de faire sortir le négatif et de faire entrer le positif. Mélangez tous les ingrédients dans le seau et balayez le sol de l'intérieur jusqu'à l'extérieur de la porte d'entrée.

Laissez sécher le sol et balayez les fleurs jusqu'à la porte de la rue, ramassez-les et jetez-les dans la poubelle avec le seau et la serpillière. Ne touchez à rien avec vos mains. Cette opération doit être effectuée une fois par semaine, de préférence à l'heure de la planète Jupiter.

Les meilleurs rituels pour l'amour
22 mai Pleine lune.

Des liens d'amour indéfectibles

C'est nécessaire :
- 1 ruban vert
- 1 stylo-feutre rouge

Prenez le ruban vert et écrivez à l'encre rouge votre prénom, votre nom et celui de l'être aimé. Écrivez ensuite trois fois les mots amour, Vénus et passion. Attachez le ruban à votre chevet et faites un nœud tous les soirs pendant neuf nuits consécutives. Après cette période, nouez le ruban en trois nœuds sur votre bras gauche. Lorsque le ruban se rompt, brûlez-le et jetez ses cendres dans la mer ou dans un endroit où l'eau coule.

Rituel parce que je n'aime que toi

Ce rituel est plus efficace s'il est effectué pendant la phase du croissant de lune et le vendredi, à l'heure de la planète Vénus.

C'est nécessaire :
- 1 cuillère à soupe de miel
- 1 Pentacle n°5 de Vénus.
- 1 pinceau avec de la peinture rouge
- 1 bougie blanche
- 1 nouvelle aiguille à coudre

Pentacle de Vénus n° 5.

Au dos du pentagramme de Vénus, écrivez à l'encre rouge le nom complet de la personne que vous aimez et la façon dont vous voulez qu'elle se comporte avec vous, vous devez être précis. Trempez-le ensuite dans du miel et enroulez-le autour de la bougie de manière qu'il adhère à la bougie. Fixez-le avec une aiguille à coudre. Lorsque la bougie est éteinte, enterrez les restes et répétez à haute voix : "L'amour de (nom) n'appartient qu'à moi".

Thé pour oublier un amour

C'est nécessaire :
- 5 feuilles de menthe
- 1 cuillère à soupe de miel
- 3 bâtons de cannelle

Faites bouillir tous les ingrédients dans une tasse d'eau et laissez infuser. Buvez-la en pensant à tout le mal que cette personne vous a fait. Les hommes doivent le boire le mardi ou le mercredi soir avant de se coucher et les femmes le lundi ou le vendredi avant de se coucher.

Rituel des ongles pour l'amour

Couper les ongles des mains et des pieds et les placer dans une poêle en métal à feu moyen pour faire griller tous les restes d'ongles. Retirez-les et réduisez-les en poudre. Donnez cette poudre à votre partenaire avec sa boisson ou son repas.

.

Les meilleurs rituels pour la santé
N'importe quel jour de mai 2024. Sauf le samedi.

Formule magique pour une peau éclatante

Mélangez huit cuillères à soupe de miel, huit cuillères à café d'huile d'olive, huit cuillères à soupe de sucre

roux, un zeste de citron râpé et quatre gouttes de jus de citron. Une fois que vous avez obtenu une pâte lisse, massez-la sur tout votre corps pendant cinq minutes.

Ensuite, vous prenez une douche, en alternant eau chaude et eau froide.

Sort pour guérir les maux de dents

Il faut faire une étoile à cinq branches avec du sel de mer, grande parce qu'il faut se tenir au milieu.

À chaque extrémité, placez une bougie noire et le symbole du Tétragramme (vous pouvez imprimer l'image), des feuilles de romarin, des feuilles de laurier, des pelures de pommes et des feuilles de lavande.

Lorsqu'il est midi, placez-vous au centre, allumez les bougies et répétez l'opération :

Sanus ossa mea sunt : et labia circa dentes meos

Symbole du tétragramme

Rituels pour le mois de juin

Juin 2024

Dimanche	Lundi	Mardi	Mercredi	Jeudi	Vendredi	Samedi
						1
			5	6 Nouvelle lune		8
	10					
				20 Pleine lune	21	
23		25	26			29
30						

6 juin 2024 Nouvelle Lune en Gémeaux 16°17'.

20 juin 2024 Pleine Lune en Capricorne 1°06'.

Les meilleurs rituels pour l'argent
Les 6, 13, 20, 27 sont des jeudis, jours de Jupiter.

Sortilège gitan pour la prospérité

Prenez un pot en terre cuite de taille moyenne et colorez-le en vert. Mettez au fond de la myrrhe, une pièce de monnaie et quelques gouttes d'huile d'olive. Recouvrez d'une couche de terre et ajoutez les graines de votre plante préférée. Ajoutez de la cannelle et encore de la terre. Placez le pot dans la salle à manger et arrosez-le pour qu'il pousse.

Fumigation magique pour améliorer l'économie domestique.

Allumez trois braises dans un récipient en métal ou en terre cuite et ajoutez une cuillère à soupe de cannelle, de romarin et d'écorce de pomme séchée. Faites circuler le récipient dans la maison, dans le sens des aiguilles d'une montre.

Mettez ensuite les pétales de roses blanches dans un seau d'eau et laissez-les reposer pendant trois heures.

Avec cette eau, vous nettoierez votre maison.

Essence miraculeuse pour attirer le travail.

Mettez 32 gouttes d'alcool, 20 gouttes d'eau de rose, 10 gouttes d'eau de lavande et quelques feuilles de jasmin dans un flacon en verre foncé.

Vous le secouez plusieurs fois en pensant à ce que vous voulez attirer.

Mettez-le dans un diffuseur et utilisez-le à la maison, au bureau ou comme parfum personnel.

Sort pour se laver les mains et attirer l'argent.

Vous aurez besoin d'un pot d'argile, de miel et d'eau de pleine lune.

L'avez-vous les mains avec ce liquide, mais gardez l'eau dans la casserole.

Laissez ensuite le pot devant une entreprise prospère ou une maison de jeu.

Les meilleurs rituels pour l'amour
N'importe quel jour de juin 2024. Sauf le samedi.

Rituel pour prévenir la casse

C'est nécessaire :
- *1 vase de fleurs rouges*
- *Mel*
- *Pentacle de Vénus n° 1*
- *1 bougie pyramidale rouge*
- *Photo de la personne aimée*
- *7 bougies jaunes*

Pentacle de Vénus n° 1.

Allumez les sept bougies jaunes en cercle. Puis écrivez l'incantation suivante derrière le pentagramme de Vénus :

"Je te demande de m'aimer pour la vie, mon amour le plus cher" et le nom de l'autre personne. Enterrez ce pentagramme dans le vase après l'avoir plié en cinq avec la photo.

Allumez la bougie rouge et versez du miel dans la terre du vase.

Ce faisant, répétez à haute voix l'incantation suivante : "Par le pouvoir de l'Amour, nous demandons que (nom de la personne), dans un sentiment d'amour véritable qui est le mien, soit préservé afin que personne ni aucune force ne puisse nous séparer".

Lorsque les bougies sont usées, nous jetons les restes à la poubelle. Nous gardons le vase à portée de main et en prenons soin.

Sortilège érotique

Vous recevez une bougie rouge en forme de pénis ou de vagin (selon le sexe de la personne qui lance le sort). Écrivez le nom de l'autre personne sur la bougie.

Elle doit être graissée avec de l'huile de tournesol et de la cannelle.

Il faut l'allumer une fois par jour, en le laissant brûler jusqu'à deux centimètres.

Lorsque la bougie est entièrement consumée, placez les restes dans un sac en tissu rouge avec le pentagramme de Mars n° 4.

Ce sachet doit être conservé sous le matelas pendant quinze jours.

Passé ce délai, vous pouvez le jeter à la poubelle.

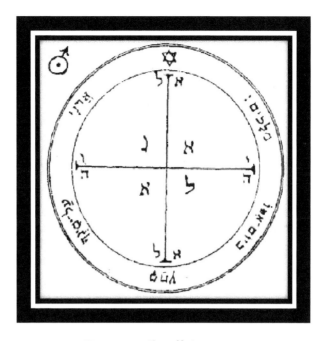

Pentacle #4 mars

Rituel de l'œuf pour l'attraction

C'est nécessaire :
- 4 œufs
- Peinture jaune

Tu dois colorier les quatre œufs en jaune et écrire la phrase "il vient à moi".

Prenez deux œufs et cassez-les dans les coins devant la maison de la personne que vous voulez attirer.

Un autre œuf est cassé devant la maison de cette personne. Le troisième jour, on jette le quatrième œuf dans une rivière.

Sort d'amour africain

C'est nécessaire :
- 1 œuf
- 5 bougies rouges
- 1 écharpe noire
- Citrouille
- Huile de cannelle
- 5 aiguilles à coudre
- Miel d'abeille
- Huile d'olive
- 5 morceaux de pâte à pain
- Poivre de Guinée

Faites un trou dans la citrouille, écrivez le nom complet de la personne que vous voulez attirer sur un *morceau de papier et placez-le à l'intérieur de la citrouille.*

Percez la calebasse avec des aiguilles en répétant le nom de la personne. Verser les autres ingrédients dans la calebasse et l'envelopper dans un foulard noir. Laisser la calebasse ainsi enveloppée pendant cinq jours devant des bougies rouges, une par jour. Le sixième jour, enterrer la calebasse au bord d'une rivière.

Les meilleurs rituels pour la santé
N'importe quel jour de juin 2024

Le charme de l'amincissement

Piquez votre doigt avec une épingle et placez trois gouttes de sang et une cuillerée de sucre sur un

morceau de papier blanc, puis fermez le papier et enveloppez le sang dans le sucre.

Mettez ce papier dans un récipient en verre neuf et non décoré, remplissez-le à moitié d'urine, laissez-le toute la nuit devant une bougie blanche et enterrez-le le lendemain.

Sortilège de maintien de la santé

Éléments nécessaires.

-1 bougie blanche.

-1 carte sacrée de l'Ange de votre dévotion.

-3   encens de bois de santal.

-Carbone végétal.

-Herbes d'   eucalyptus et de basilic séchées.

-Une poignée de   riz, une poignée de blé.

-1 assiette ou plateau blanc.

-8   pétales de rose.

-1 bouteille de parfum, les gars.

-1 boîte en bois.

Nettoyez la pièce en allumant les braises dans un récipient en métal. Lorsque les braises sont bien allumées, placez les herbes séchées dessus, petit à petit, et faites le tour de la pièce avec le récipient afin d'éliminer les énergies négatives.

Lorsque l'encens est terminé, les fenêtres doivent être ouvertes pour que la fumée se disperse.

Préparez un autel sur une table recouverte d'une nappe blanche. Placez le saint choisi et autour de lui les trois bâtons d'encens en forme de triangle. Consacrer le cierge blanc, l'allumer et le placer devant l'ange, avec le parfum découvert.

Vous devez être détendu et vous concentrer sur votre respiration. Visualisez votre ange et remerciez-le pour toute la santé que vous avez et que vous aurez toujours, cette gratitude doit venir du fond de votre cœur.

Après avoir remercié, vous lui donnez en offrande la poignée de riz et la poignée de céréales, qu'il déposera sur le plateau ou l'assiette blanche.

Répandez tous les pétales de rose sur l'autel, en remerciant à nouveau pour les faveurs reçues. Une fois les remerciements terminés, laissez la bougie allumée jusqu'à ce qu'elle soit complètement consumée. La dernière chose à faire est de ramasser *tous les restes de la bougie, de l'encens, du riz et du blé, de les mettre dans un sac en plastique et de le jeter dans un endroit où il y a des arbres, sans le sac.*

Placez la carte d'ange et les pétales de rose à l'intérieur de la boîte et conservez-la dans un endroit sûr de votre maison. Le parfum énergisé, utilisez-le lorsque vous ressentez une baisse d'énergie, en visualisant votre ange et en lui demandant sa protection.

Bain protecteur avant l'opération

Éléments nécessaires :

- Cloche violette

- Eau de coco

- Décortiquer

- Cologne 1800

- Toujours en vie

- Feuilles de menthe

- Feuilles de rue

- Feuilles de romarin

- Bougie blanche

- Huile de lavande

Faites bouillir toutes les plantes dans l'eau de coco. Lorsque l'eau refroidit, filtrez-la et ajoutez l'écorce, l'eau de Cologne et l'huile de lavande, puis allumez la bougie à l'extrémité ouest de la baignoire. Versez le mélange dans l'eau du bain. Si vous n'avez pas de bain, versez-le sur vous et ne vous asseyez pas.

Rituels de juillet

Juillet 2024

Dimanche	Lundi	Mardi	Mercredi	Jeudi	Vendredi	Samedi
	1				5	6 Nouvelle lune
	8		10			
						20 Pleine lune
21		23		25	26	
	29	30	31			

6 juillet 2024 Nouvelle Lune en Cancer 14°23'.

20 juillet 2024 Pleine Lune du Capricorne 29°08'

Les meilleurs rituels pour l'argent

Les 6, 20 et 22 juillet, le Soleil entre dans le Lion.

Nettoyer pour obtenir des clients.

Piler dix noisettes décortiquées et un brin de persil dans un mortier et un pilon.

Faire bouillir deux litres d'eau de la Pleine Lune et ajouter les ingrédients hachés. Laisser bouillir pendant dix minutes et filtrer.

Avec cette infusion, vous nettoierez les sols de votre entreprise, de la porte d'entrée à la porte de sortie.

Répétez ce nettoyage tous les lundis et jeudis pendant un mois, idéalement dans la période de la planète Mercure.

Elle attire l'abondance matérielle. Croissant de lune

C'est nécessaire :

- 1 pièce d'or ou objet en or, sans pierre.

- 1 pièce de monnaie en cuivre

- 1 pièce d'argent

Par une nuit de croissant de lune, avec les pièces en main, rendez-vous à un endroit où les rayons de la lune les illumineront.

Les mains levées, répétez : "Lune, aide-moi à faire en sorte que ma fortune grandisse toujours et que la prospérité soit toujours au rendez-vous".

Laissez les pièces toucher vos mains.

Rangez-les ensuite dans votre portefeuille. Vous pouvez répéter ce rituel chaque mois.

Le sortilège permet de créer un bouclier économique pour votre entreprise ou votre commerce.

C'est nécessaire :
- 5 pétales de fleurs jaunes
- Graines de tournesol
- Écorce de citron séchée au soleil
- Farine de blé
- 3 pièces par jour

Piler les fleurs jaunes et les graines de tournesol dans un mortier et un pilon, puis ajouter le zeste de citron et la farine de blé.

Mélangez bien les ingrédients et conservez-les avec les trois pièces dans un bocal hermétique.

Cette préparation doit être utilisée tous les matins avant de quitter le domicile.

Placez d'abord les cinq doigts de votre main gauche, puis les cinq doigts de votre main droite dans le pot, puis frottez-les ensemble avec vos paumes.

Les meilleurs rituels pour l'amour

N'importe quel jour de juillet.

Sort de l'argent exprimé.

Ce sort est plus efficace s'il est lancé un jeudi.

Remplir un bol en verre avec du riz.

Allumez ensuite une bougie verte (que vous aurez préalablement consacrée) et placez-la au centre de la fontaine.

Allumez l'encens de cannelle et faites six fois le tour de la fontaine avec sa fumée dans le sens des aiguilles d'une montre.

Ce faisant, répétez mentalement : "J'ouvre mon esprit et mon cœur à la richesse".

L'abondance vient à moi maintenant et tout va bien.

L'univers rayonne de richesse dans ma vie en ce moment. Les restes peuvent être jetés à la poubelle.

Salle de bain pour attirer les gains économiques

C'est nécessaire :

- 1 plante de rue

- Eau florale

- 5 fleurs jaunes

- 5 cuillères à soupe de miel

- 5 bâtons de cannelle

- 5 gouttes d'essence de santal

- 1 bâton d'encens de santal

Le premier jour du croissant de lune, à un moment propice à la prospérité, faites bouillir tous les ingrédients pendant cinq minutes, à l'exception de l'Agua Florida et de l'encens. Répartissez ce bain car vous devez le faire pendant cinq jours. Ce qui n'est pas utilisé doit être conservé au froid. Ajoutez un peu d'Agua Florida à la préparation et allumez l'encens. Prenez le bain et rincez-vous comme d'habitude. Faites couler lentement la préparation du cou jusqu'aux pieds. Procédez ainsi pendant cinq jours consécutifs.

Les meilleurs rituels pour la santé

N'importe quel jour de juillet.

Épeler la douleur chronique.

Éléments nécessaires :

> *-1 bougie dorée*

> *-1 bougie blanche*

> *-1 bougie verte*

> *-1 Tourmaline noire*

> *-1 photo de soi ou d'un objet personnel*

> *-1 verre de moonshine*

-Photo d'une personne   ou d'un   objet

Disposez les 3 bougies en forme de triangle et placez la photo ou l'objet personnel au centre. Placez le verre d'alcool de contrebande sur la photo et versez la tourmaline à l'intérieur. Allumez ensuite les bougies et répétez l'incantation suivante : "J'allume cette bougie pour obtenir ma guérison, en invoquant mes feux intérieurs et les salamandres et ondines protectrices pour transmettre cette douleur et ce malaise dans l'énergie curative de la santé et du bien-être". Répétez cette prière trois fois. Une fois la prière terminée, prenez le verre, retirez la tourmaline et versez l'eau dans une canalisation de la maison, éteignez les bougies avec vos doigts et gardez-les pour répéter ce sort jusqu'à ce que vous soyez complètement rétabli. La tourmaline peut être utilisée comme amulette de santé.

Sort d'amélioration instantanée

Prenez une bougie blanche, une verte et une jaune. Consacrez-les (de la base à la mèche) avec de l'essence de pin et placez-les sur une table avec une nappe bleue, en forme de triangle. Au centre, placez un petit récipient en verre contenant de l'alcool et une

petite améthyste. A la base du récipient, une feuille de papier avec le nom de la personne malade ou une photo avec son nom et prénom au dos et sa date de naissance. Allumez les trois bougies et laissez-les brûler jusqu'à ce qu'elles soient complètement consumées. Tout en accomplissant ce rituel, visualisez la personne en parfaite santé.

Rituels pour le mois d'août

Août 2024

Dimanche	Lundi	Mardi	Mercredi	Jeudi	Vendredi	Samedi
				1		
4 Nouvelle lune	5			8		10
18 Pleine lune			21		23	
25	26			29	30	31

4 août 2024 Nouvelle Lune Lion 12°33'

18 août 2024 Pleine Lune Verseau 27°14'.

Les meilleurs rituels pour l'argent

4,5 août 2024

Miroir magique pour l'argent. Pleine lune

Prenez un miroir de 40 à 50 cm de diamètre et peignez le cadre en noir. Lavez le miroir avec de l'eau bénite et recouvrez-le d'un tissu noir.

La première nuit de la pleine lune, exposez-le aux rayons de la lune de façon que vous puissiez voir le disque lunaire entier dans le miroir. Demandez à la lune de consacrer ce miroir pour qu'il illumine vos souhaits.

La nuit de la prochaine Pleine Lune, dessinez sept fois le symbole de l'argent avec un crayon à lèvres ($$$$$$).

Fermez les yeux et visualisez-vous avec toute l'abondance matérielle que vous désirez. Laissez les symboles dessinés jusqu'au lendemain matin.

Nettoyez ensuite le miroir avec de l'eau bénite jusqu'à ce qu'il ne reste plus aucune trace du vernis utilisé. Conservez le miroir dans un endroit où personne ne peut le toucher.

Pour répéter le sort, il faut recharger l'énergie du miroir trois fois par an à l'occasion de la pleine lune.

Si vous le faites à un moment planétaire lié à la prospérité, vous ajouterez une énergie suprême à votre intention.

Rituel pour accélérer les ventes. Nouvelle Lune

C'est une recette efficace pour protéger l'argent, multiplier les ventes de votre entreprise et restaurer énergétiquement le lieu.

C'est nécessaire :

-1 bougie verte
-1 pièce
- Sel de mer
-1 pincée de piment

Ce rituel doit être effectué le jeudi ou le dimanche, à l'heure de la planète Jupiter ou du Soleil.

Aucune autre personne ne doit se trouver dans les locaux de l'entreprise.

Allumez la bougie et placez la pièce, une poignée de sel et une pincée de poivre autour d'elle en forme de triangle.

Il faut impérativement placer le piment à droite et la poignée de sel à gauche. La pièce de monnaie doit se trouver au sommet de la pyramide.

Placez-vous devant la bougie pendant quelques minutes et visualisez tout ce que vous désirez en termes de prospérité.

Les restes peuvent être jetés, les pièces de monnaie sont conservées sur le lieu de travail à des fins de protection.

Les meilleurs rituels pour l'amour
Tous les vendredis, le jour de Vénus.

Les meilleurs rituels pour l'amour

7, 14, 21, 28, 31 juillet.

Sort pour que quelqu'un pense à vous

Prenez un petit miroir que les femmes utilisent pour se maquiller et placez une photo de vous derrière le miroir.

Prenez ensuite une photographie de la personne à laquelle vous voulez penser et placez-la face cachée devant le miroir (de manière que les deux photographies se fassent face, le miroir étant placé au milieu).

Enveloppez le miroir d'un morceau de tissu rouge et attachez-le avec une ficelle rouge pour qu'il soit bien fixé et que les images ne puissent pas bouger.

Il doit être placé sous le lit, bien caché.

Sort qui vous transforme en aimant

Pour avoir une aura magnétique et attirer les femmes ou les hommes, il faut faire un sac jaune avec le cœur d'une colombe blanche et les yeux d'un TARTUGA en poudre.

Si vous êtes un homme, ce sac doit être transporté dans votre poche droite.

Les femmes porteront le même sac, mais à l'intérieur du soutien-gorge, sur le côté gauche.

Les meilleurs rituels pour la santé

Le 23 août, le soleil entre dans la Vierge.

Bain rituel aux herbes amères

Ce rituel est utilisé lorsque la personne a été ensorcelée à un point tel que sa vie est en danger.

Éléments nécessaires :
- 7 Feuilles de myrte
- Jus de grenade
- Lait de chèvre
- Sel de mer
- L'eau sacrée
- Décortiquer
- 8 Feuilles de la plante brise-muraille

Verser le lait de chèvre dans un grand récipient, ajouter le jus de grenade, l'eau bénite, les plantes, le sel de mer et la décortiquer.

Laissez cette préparation devant une bougie blanche pendant trois heures, puis versez-la sur votre tête. Dormez ainsi et rincez le lendemain.

Rituels pour le mois de septembre

Septembre 2024

Dimanche	Lundi	Mardi	Mercredi	Jeudi	Vendredi	Samedi
1		3 Nouvelle lune		5		
8	9	10				
		17 ○ Pleine lune	18			21
	23		25	26		
29	30					

3 septembre 2024 Nouvelle Lune en Vierge 11°03'.

17 septembre 2024 Pleine Lune et éclipse partielle des Poissons
25°40'

Les meilleurs rituels pour l'argent

3,13,20 septembre 2024

Rituel pour gagner de l'argent en trois jours

Procurez-vous cinq bâtons de cannelle, une écorce d'orange séchée, un litre d'eau de pleine lune et une bougie en argent. Faites bouillir la cannelle et l'écorce d'orange dans l'eau de pleine lune. Une fois refroidis, placez-les dans un flacon pulvérisateur. Allumez la bougie dans la partie nord du salon et vaporisez le liquide dans toutes les pièces. Pendant ce temps, répétez dans votre esprit : "Les guides spirituels protègent ma maison et me permettent de recevoir immédiatement l'argent dont j'ai besoin.

Lorsque vous avez terminé, laissez la bougie allumée.

L'argent avec l'éléphant blanc

Achetez un éléphant blanc avec le tronc relevé.

Placez-la à l'intérieur de la maison ou de l'entreprise, jamais devant les portes.

Le premier jour de chaque mois, placez un billet de banque de la plus petite valeur dans la trompe de l'éléphant, pliez-le en deux dans le sens de la longueur et répétez : "Que ceci soit le double de 100" ; puis pliez-le à nouveau dans le sens de la largeur et répétez : "Que ceci soit multiplié par mille".

Déroulez la carte et laissez-la dans la trompe de l'éléphant jusqu'au mois suivant.

Répétez le rituel en changeant les notes.

Rituel pour gagner à la loterie.

C'est nécessaire :
- 2 bougies vertes
- 12 pièces (représentant les douze mois de l'année)
- 1 mandarine
- Bâtons de cannelle
- Pétales de deux roses rouges
- 1 bocal en verre à large ouverture avec couvercle
- 1 ancien billet de loterie
- Eau de la pleine lune

Placez la mandarine dans le bocal, le billet de loterie, les pièces de monnaie, les pétales et la cannelle autour, couvrez avec de l'alcool de contrebande et mettez le couvercle. Placez la bougie dans le couvercle du bocal et allumez-la. Le lendemain, remplacez la bougie par une nouvelle et, le troisième jour, découvrez le bocal et jetez tout sauf les pièces de monnaie, qui serviront d'amulette. Gardez-en une dans votre *portefeuille et laissez les onze autres à la maison. À la fin de l'année, vous devrez dépenser les pièces.*

Les meilleurs rituels pour l'amour
Chaque vendredi de septembre 2024

Rituel pour éliminer les litiges

Inscrivez votre nom et celui de votre partenaire sur une feuille de papier. Placez-la sous une pyramide de quartz rose et répétez mentalement : "Je (votre nom) suis en paix et en harmonie avec mon partenaire (le nom de votre partenaire), l'amour nous entoure maintenant et toujours".

Cette pyramide avec les noms doit être conservée dans la zone d'amour de votre maison. Le coin inférieur droit de la porte d'entrée est la zone des couples, de l'amour, du mariage ou des relations.

Rituel d'amour

Pendant cinq jours et à la même heure, formez une pyramide sur le sol avec des pétales de roses rouges. Écrivez le nom de la personne dont vous voulez tomber amoureux sur une bougie verte, allumez-la et placez-la au centre de la pyramide, au-dessus du pentagramme de Vénus numéro 3.

Asseyez-vous devant cette pyramide et répétez mentalement : "J'invoque toutes les forces élémentaires de l'univers pour que (nom de la personne) me rende mon amour". Une fois ce temps écoulé, jetez les restes des bougies dans le panier et brûlez le pentagramme.

Pentacle n°3 Vénus.

Les meilleurs rituels pour la santé

N'importe quel jour de septembre. De préférence les lundis et vendredis.

Bain thérapeutique

Éléments nécessaires :

- Aubergine

- Plante de Ruda
- L'esprit
- Décortiquer
- Eau de Floride
- Eau de pluie
- Bougie verte (plus efficace si elle est en forme de pyramide)

Ce bain est plus efficace s'il est effectué un dimanche, à l'heure du Soleil ou de Jupiter. Coupez *l'aubergine en morceaux et mettez-la dans une grande casserole.*

Faire bouillir la sauge et la rue dans de l'eau de pluie. Filtrer le liquide sur les morceaux d'aubergine, ajouter l'Agua Florida, le brandy et la décortiquer et allumer la bougie. Versez le mélange dans l'eau du bain. Si vous n'avez pas de baignoire, versez le mélange sur la baignoire et laissez sécher à l'air libre, c'est-à-dire sans utiliser de serviette.

Bain protecteur avant l'intervention chirurgicale

Éléments nécessaires :

- Cloche violette
- Eau de coco
- Décortiquer
- Cologne 1800
- Toujours en vie
- Feuilles de menthe
- Feuilles de rue

- Feuilles de romarin
- Bougie blanche
- Huile de lavande

Ce bain est plus efficace s'il est pris un jeudi, au moment de la Lune ou de Mars.

Faites bouillir toutes les plantes dans l'eau de coco, quand elle refroidit, filtrez-la et ajoutez le coquillage, l'eau de Cologne et l'huile de lavande et allumez la bougie dans la partie ouest du bain.

Versez le mélange dans l'eau du bain. Si vous n'avez pas de baignoire, versez-le sur vous et ne vous séchez pas.

Rituels pour le mois d'octobre

Octobre 2024

Dimanche	Lundi	Mardi	Mercredi	Jeudi	Vendredi	Samedi
		1	2 Nouvelle lune			5
		8		10		
			16 Pleine lune			
	21		23		25	26
		29	30	31		

2 octobre 2024 Eclipse solaire annulaire en Balance et Nouvelle Lune à 10°02'.

16 octobre 2024 Pleine Lune 24°34' Bélier

Les meilleurs rituels pour l'argent
2, 17, 31 octobre 2024.

Le sucre et l'eau de mer sont des remèdes pour la prospérité.

C'est nécessaire :
- Eau de mer
- 3 cuillères à soupe de sucre
- 1 verre en cristal bleu

Remplir la coupe d'eau de mer et de sucre, la laisser à l'air libre la première nuit de la pleine lune et la retirer à 6 heures du matin.

Ouvrez ensuite les portes de votre maison et commencez à vaporiser de l'eau sucrée de l'entrée vers l'arrière, à l'aide d'un vaporisateur ; ce faisant, répétez dans votre esprit : "J'attire dans ma vie toute la prospérité et la richesse que l'univers sait que je mérite, merci, merci".

La cannelle

Il est utilisé pour purifier le corps. Dans certaines cultures, on lui prête le pouvoir de favoriser l'immortalité. D'un point de vue magique, la cannelle est liée au pouvoir de la lune en raison de sa tendance féminine.

Rituel pour attirer l'argent instantanément.

C'est nécessaire :
- 5 bâtons de cannelle
- 1 écorce d'orange séchée
- 1 litre d'eau bénite
- 1 bougie verte

Porter à ébullition la cannelle, l'écorce d'orange et 1 litre d'eau, puis laisser reposer le mélange jusqu'à ce qu'il refroidisse. Verser le liquide dans un flacon pulvérisateur.

Allumez la bougie dans la partie nord du salon de votre maison et dispersez-la dans toutes les pièces en répétant : "Ange de l'abondance, j'invoque ta présence dans cette maison pour que nous ne manquions de rien et que nous ayons toujours plus que ce dont nous avons besoin.

Lorsque vous avez terminé, dites la prière trois fois et laissez la bougie allumée.

Vous pouvez le faire un dimanche ou un jeudi, à l'heure de la planète Vénus ou Jupiter.

Les meilleurs rituels pour l'amour
N'importe quel jour d'octobre 2024.

Sortilège pour oublier un ancien amour

C'est nécessaire :
- 3 bougies jaunes en forme de pyramide

- Sel de mer
- Vinaigre blanc
- Huile d'olive
- Papier jaune
- 1 sachet noir

Ce rituel est plus efficace lorsqu'il est effectué pendant la phase de lune décroissante.

Inscrivez le nom de la personne que vous voulez éliminer de votre vie au centre de la feuille huilée.

Les bougies sont ensuite placées sur le dessus en forme de pyramide.

Ce faisant, répétez dans votre esprit : "Mon ange gardien veille sur ma vie, c'est mon souhait et il se réalisera".

Lorsque les bougies sont épuisées, enveloppez tous les restes dans le même papier et saupoudrez-les de vinaigre.

Mettez-le ensuite dans le sac noir et jetez-le dans un endroit éloigné de la maison, de préférence en présence d'arbres.

Sort pour attirer l'âme sœur

C'est nécessaire :
- *Feuilles de romarin*
- *Feuilles de persil*
- *Feuilles de basilic*
- *Conteneur métallique*
- *1 bougie rouge en forme de cœur*
- *Huile essentielle de cannelle*
- *1 cœur dessiné sur du papier rouge*
- *Alcool*
- *Huile de lavande*

Il faut d'abord consacrer la bougie avec de l'huile de cannelle, puis l'allumer et la placer à côté du récipient en métal. Mélangez toutes les plantes dans le récipient. Écrivez sur le cœur en papier toutes les caractéristiques de la personne que vous voulez dans votre vie, en notant les détails. Mettez cinq gouttes d'huile de lavande sur le papier et placez-le à l'intérieur du récipient. Arrosez-le d'alcool et mettez-y le feu. Tous les restes doivent être dispersés sur la plage pendant que vous vous concentrez et demandez que cette personne entre dans votre vie.

Rituel pour attirer l'amour

Il est nécessaire
- Huile de rose
- 1 quartz rose
- 1 pomme
- 1 rose rouge dans un petit vase
- 1 rose blanche dans un petit vase
- 1 long ruban rouge
- 1 bougie rouge

Pour une efficacité maximale, ce rituel doit être effectué le vendredi ou le dimanche, à l'heure des planètes Vénus ou Jupiter.

Il est nécessaire de consacrer la bougie avant de commencer le rituel à l'huile de rose. Allumez la bougie. Coupez la pomme en deux morceaux et placez-en un dans le vase de roses rouges et l'autre dans le vase de roses blanches. Attachez le ruban rouge autour des deux vases. Laissez-les à côté de la bougie toute la nuit jusqu'à ce que la bougie soit éteinte. Pendant ce temps, répétez dans votre esprit : "Que la personne destinée à me rendre heureux se présente sur mon chemin, je l'accueille et je l'accepte". Lorsque les roses sont sèches, enterrez-les avec les moitiés de pommes dans votre jardin ou dans un vase avec du quartz rose.

Les meilleurs rituels pour la santé
Tous les dimanches d'octobre 2024

Rituel vitalité

Faites tremper une pyramide en aluminium dans un seau d'eau pendant 24 heures. Le lendemain, après votre douche habituelle, l'avez-vous avec cette eau. Vous pouvez effectuer ce rituel une fois par semaine.

Rituels pour le mois de novembre

Novembre 2024

Dimanche	Lundi	Mardi	Mercredi	Jeudi	Vendredi	Samedi
					1 Nouvelle lune	
	5				8	
10					15 Pleine lune	
				21		23
	25	26			29	30 Nouvelle lune

1er novembre 2024 Nouvelle Lune du Scorpion 9°34

15 novembre 2024 Pleine Lune Taureau 24°00'

30 novembre 2024 Nouvelle Lune Sagittaire 9°32'

Les meilleurs rituels pour gagner de l'argent

1,15,30 novembre 2024

Gagner de l'argent avec la pierre

C'est nécessaire :

- Eau bénite

- 7 pièces de n'importent quelle dénomination

- 7 pierres de pyrite

- 1 bougie verte

- 1 cuillère à café de cannelle

- 1 cuillère à café de sel marin

- 1 cuillère à café de sucre roux

- 1 cuillère à café de riz

Ce rituel doit être accompli à la lumière de la pleine lune, c'est-à-dire en plein air.

Verser l'eau et la terre dans un bol pour obtenir une pâte épaisse. Ajoutez les cuillères à café de sel, le sucre, le riz et la cannelle au mélange et placez les 7 pièces de monnaie et les 7 pyrites à différents endroits au milieu de la pâte. Mélangez la pâte uniformément et lissez-la à l'aide d'une cuillère. Laissez sécher le récipient à la lumière de la pleine lune pendant la nuit et une partie de la journée suivante au soleil. Une fois sec, emportez-le dans la maison et placez-y la bougie verte allumée. N'essuyez pas les résidus de cire sur cette pierre. Placez-la dans la cuisine, le plus près possible d'une fenêtre.

Les meilleurs rituels pour l'amour
Tous les vendredis et lundis de novembre.

Le miroir magique de l'amour

Prenez un miroir de 40 à 50 cm de diamètre et peignez le cadre en noir. Lavez le miroir avec de l'eau bénite et recouvrez-le d'un tissu noir. La première nuit de la pleine lune, laissez le miroir exposé à ses rayons afin de pouvoir y voir l'ensemble du disque lunaire.

Demandez à la Lune de consacrer ce miroir pour qu'il illumine vos désirs.

La nuit suivant la Pleine Lune, écrivez au crayon tout ce que vous voulez en matière d'amour. Précisez comment vous voulez que votre partenaire soit à tous égards. Fermez les yeux et visualisez-vous heureux et ensemble avec elle. Laissez les mots écrits jusqu'au lendemain matin.

Nettoyez ensuite le miroir avec de l'eau bénite jusqu'à ce qu'il n'y ait plus de traces du vernis utilisé. Rangez le miroir dans un endroit où personne ne peut le toucher.

Pour pouvoir répéter ce sort, il faut recharger le miroir trois fois par an avec l'énergie des pleines lunes. Si vous le faites pendant une période planétaire en rapport avec l'amour, vous ajouterez un pouvoir suprême à votre intention.

Sort pour augmenter la passion

C'est nécessaire :
- 1 feuille de papier vert
- 1 pomme verte

- Fil rouge
- 1 couteau

Ce rituel doit être accompli un vendredi, à l'heure de la planète Vénus.

Écrivez le nom de votre partenaire et le vôtre sur le papier vert et dessinez un cœur autour.

Couper la pomme en deux à l'aide d'un couteau et placer le papier entre les deux moitiés.

Reliez ensuite les deux moitiés avec du fil rouge et faites cinq nœuds.

Vous prenez une bouchée de la pomme et l'avalez.

À minuit, les restes de la pomme sont enterrés le plus près possible de la maison du partenaire ou, si vous vivez ensemble, dans son jardin.

Les meilleurs rituels pour la santé
Tous les jeudis de novembre 2024

Rituel pour éliminer la douleur

Allongez-vous sur le dos, la tête au nord, et placez une pyramide jaune sur votre bas-ventre pendant dix minutes : les maladies disparaîtront.

Rituel de relaxation

Prenez une pyramide violette et allongez-vous sur le dos, les yeux fermés, gardez l'esprit vide et respirez *doucement. À ce stade, vous sentirez vos bras, vos jambes et votre poitrine s'engourdir.*

Ensuite, vous vous sentirez plus lourd, ce qui signifie que vous êtes totalement détendu ; ce rituel génère la paix et l'harmonie.

Rituel pour une vieillesse en bonne santé

Prenez un gros œuf et colorez-le en or.

Lorsque la peinture est sèche, placez-la à l'intérieur d'un cercle que vous ferez avec 7 bougies (1 rouge, 1 jaune, 1 verte, 1 rose, 1 bleue, 1 violette, 1 blanche). Asseyez-vous devant le cercle, la tête couverte d'un foulard blanc, et allumez les bougies dans le sens des aiguilles d'une montre. Répétez les phrases suivantes pendant que vous allumez les bougies :

Je suis en train de devenir la meilleure version de moi-même.
Mes possibilités sont infinies.

J'ai la liberté et le pouvoir de créer la vie que je veux.

Je choisis d'être gentil avec moi-même et de m'aimer inconditionnellement.

Je fais ce que je peux, et c'est suffisant.

Chaque jour est une occasion de recommencer.

Où que je sois dans mon voyage, c'est ma place.

Laissez les bougies s'éteindre.

Il faut ensuite enterrer l'œuf dans un pot d'argile et le remplir de sable, en le laissant exposé au soleil et à la lumière de la lune pendant trois jours et trois nuits consécutifs.

Vous garderez cette jarre chez vous pendant trois ans, après quoi vous déterrerez l'œuf, briserez la coquille et laisserez ce que vous trouverez à l'intérieur comme amulette protectrice.

Sort pour guérir les personnes gravement malades

Le diagnostic du médecin et une photographie actuelle de la personne sont placés dans un récipient en métal. Placez deux bougies vertes de part et d'autre du récipient et allumez-les.

Brûlez le contenu du récipient et, pendant qu'il brûle, ajoutez les cheveux de la personne.

S'il n'y a que des cendres, il faut les mettre dans une enveloppe verte et le patient doit dormir avec cette enveloppe sous l'oreiller pendant 17 jours.

Rituels de décembre

Décembre 2024

Dimanche	Lundi	Mardi	Mercredi	Jeudi	Vendredi	Samedi
1				5		
8		10				14 Pleine lune
			18			21
	23		25	26		
29	30 Nouvelle lune	31				

15 décembre 2024 Pleine Lune des Gémeaux 23°52' Pleine Lune des Gémeaux

30 décembre 2024 Nouvelle Lune en Capricorne 9°43

Les meilleurs rituels pour l'argent

14, 20 et 30 décembre 2024

Rituel hindou pour attirer l'argent.

Les jours idéaux pour ce rituel sont le jeudi ou le dimanche, à l'heure de la planète Vénus, Jupiter ou du Soleil.
C'est nécessaire :
- Huile essentielle de rue ou de basilic
- 1 pièce d'or
- 1 nouveau portefeuille ou sac à main
- 1 épi de blé
- 5 pyrites

Il est nécessaire de consacrer la pièce d'or en l'oignant d'huile de basilic ou de rue et en la dédiant à Jupiter. Tout en l'oignant, répéter mentalement :

"Je veux que vous saturiez cette monnaie de votre énergie, afin que l'abondance économique puisse entrer dans ma vie".

Versez ensuite de l'huile sur l'épi de maïs et offrez-le à Jupiter, en lui demandant de ne pas laisser votre maison manquer de nourriture. Prenez la pièce, ainsi que les cinq pyrites, et placez-les dans un nouveau porte-monnaie, que vous enterrerez sur le côté gauche de la façade de votre maison. L'épi sera stocké dans la cuisine.

Argent et abondance pour tous les membres de la famille.

C'est nécessaire :
- 4 pots en terre cuite
- 4 pentacles de Jupiter #7 (vous pouvez les imprimer)

Pentacle de Jupiter n° 7.

- Mel
- 4 agrumes

Le vendredi, à l'heure de la planète Jupiter, écrivez les noms de toutes les personnes vivant dans votre maison au dos du septième pentagramme de Jupiter.

Placez ensuite chaque morceau de papier dans les pots d'argile avec les agrumes et versez le miel dessus. Placez les pots aux quatre points cardinaux de votre maison. Laissez-les là pendant un mois. À la fin de cette période, jetez le miel et les pentacles, mais gardez les citrines dans le salon.

Les meilleurs rituels quotidiens pour l'amour
Vendredi et dimanche, décembre 2024

Rituel pour transformer l'amitié en amour

Ce rituel est le plus puissant lorsqu'il est effectué le mardi à l'heure de Vénus.

C'est nécessaire :

- 1 photo en pied de votre proche
- 1 petit miroir
- 7 de vos cheveux
- 7 gouttes de votre sang
- 1 bougie pyramidale rouge
- 1 sachet d'or

Versez les gouttes de sang sur le miroir, placez vos cheveux dessus et attendez qu'elles sèchent. Placez la photo sur le miroir (lorsque le sang est sec).

Allumez la bougie et placez-la à droite du miroir, concentrez-vous et répétez :

"Nous sommes unis pour toujours par le pouvoir de mon sang et le pouvoir de (nom de la personne que vous aimez) l'amour que je ressens pour vous. L'amitié se termine, mais l'amour éternel commence".

Lorsque la bougie est consumée, mettez le tout dans le sac d'or et jetez-le à la mer.

Sort d'amour germanique

Ce sort est plus efficace s'il est lancé pendant la phase de pleine lune à 23h59.

C'est nécessaire :
- 1 photo de la personne aimée
- 1 photo de vous
- 1 cœur de colombe blanche
- 13 pétales de tournesol
- 3 épingles
- 1 bougie rose
- 1 bougie bleue
- 1 nouvelle aiguille à coudre
- Sucre roux
- Cannelle en poudre
- 1 table

Disposez les photos sur la table, placez le cœur sur le dessus et enfilez les trois épingles. Entourez-les de pétales de tournesol, placez la bougie rose à gauche et la bougie bleue à droite et allumez-les dans le même ordre.

Piquez l'index de la main gauche et laissez tomber trois gouttes de sang sur le cœur. Lorsque le sang tombe, répétez trois fois : "Par la puissance du sang, tu (nom de la personne) m'appartiens".

Lorsque les bougies sont épuisées, enterrez-les et, avant de refermer le trou, ajoutez de la cannelle en poudre et de la cassonade.

Sort de vengeance

C'est nécessaire :
- 1 pierre de rivière
- Poivre rouge
- Photos de la personne qui vous a volé votre amour
- 1 pot
- Concession de cimetière
- 1 bougie noire

L'incantation suivante doit être inscrite au dos de la photographie : "Par le pouvoir de la vengeance, je promets que tu me rembourseras et que tu ne blesseras plus jamais personne, tu es effacé".

(Nom de la personne)".

Placez ensuite la photo de la personne au fond du pot et placez la pierre sur le dessus, puis versez la terre du cimetière et le poivre rouge, dans cet ordre.

Allumez la bougie noire et répétez la même incantation derrière la photographie. Lorsque la bougie se consume, jetez-la à la poubelle et laissez le pot dans un endroit qui est une montagne.

Les meilleurs rituels pour la santé

Un jeudi de décembre 2024

Grille de santé cristalline

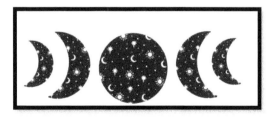

La première étape consiste à déterminer l'objectif que vous souhaitez exprimer. Écrivez sur une feuille de papier vos souhaits en matière de santé, toujours au *présent et sans le mot NON. Un exemple pourrait être : "J'ai une santé parfaite".*

Éléments nécessaires.

- *1 grand quartz améthyste (le point central)*
- *4 Lari mar.*
- *4 petits quartz cornaline*
- *6 quartz œil de tigre*
- *4 agrumes*
- *1 Figure géométrique de la fleur de vie*
- *1 point de quartz blanc pour activer le gril*

Fleur de vie.

Ces pierres de quartz doivent être nettoyées avant le rituel pour les purifier des énergies qu'elles ont pu absorber avant d'arriver entre vos mains ; le sel de mer est la meilleure option. Laissez-les dans le sel marin pendant une nuit. Lorsque vous les retirez, vous pouvez

120

également allumer un Palo sacré et fumer pour renforcer le processus de purification.

Les diagrammes géométriques nous aident à mieux visualiser comment les énergies se connectent entre les nœuds ; les nœuds sont les points décisifs de la géométrie, ce sont les positions stratégiques où les cristaux sont placés pour que leurs énergies interagissent les unes avec les autres, créant des courants d'énergie à haute vibration (comme un circuit) que nous pouvons détourner vers notre intention.

Trouvez un endroit calme, car lorsque nous travaillons avec les toiles de cristal, nous travaillons avec les énergies universelles.

Prenez les pierres, une à une, et placez-les dans votre main gauche, que vous tenez en forme de bol, recouvrez-la de votre main droite et répétez à haute voix les noms des symboles Reiki : Cho Ku Rei, Sei He Ki, Hon Sha Ze Sho Nen et Dai Ko Mio, trois fois chacun.
Cette opération a pour but de dynamiser les pierres.

Pliez le papier et placez-le au centre de la grille. Placez le grand quartz améthyste sur le dessus, cette pierre au centre est le point focal, les autres sont placées comme dans l'*exemple.

Vous les reliez avec la pointe de quartz, en partant du foyer circulaire dans le sens des aiguilles d'une montre.

Une fois la grille mise en place, laissez-la dans un endroit où personne ne peut la toucher. De temps en temps, vous devrez la rallumer, c'est-à-dire l'activer avec la pointe de quartz, en visualisant dans votre esprit ce que vous avez écrit sur le papier.

Prévisions générales 2024

L'année 2024 est arrivée ! Une année astrologiquement significative. Nous serons témoins d'événements qui auront un impact sur le monde entier, une période de transformation collective est à nos portes. Une période de réflexion, d'abstraction, d'évaluation et de séparation de ce qui ne fonctionne plus.

Nous assisterons à une restructuration des systèmes politiques qui entraînera des changements dans l'équilibre des pouvoirs, la manifestation de nouvelles tendances politiques et des transformations dans le mode de fonctionnement des autorités et des gouvernements.

L'énergie de Pluton apportera des changements significatifs à l'économie, de nouvelles industries et entreprises se développeront, mais le déclin des entreprises établies se poursuivra. C'est le début d'un *nouveau cycle économique avec un grand potentiel d'innovation.*

Pluton continuera à exercer des effets catastrophiques sur la structure sociale des pays. Toutes les questions relatives au pouvoir, au contrôle et à l'autorité feront la une des journaux cette année. Cela conduira à la création de nouvelles structures de pouvoir. C'est le début d'une ère avec plus de valeurs et de conscience sociale.

Un changement dans les forces du pouvoir mondial est à venir, car le retour de Pluton signale une période de métamorphose pour les États-Unis. Cela implique un changement dans l'équilibre des pouvoirs entre tous les pays du monde, et nous assisterons à l'émergence de nouveaux acteurs mondiaux et à la transformation des relations mondiales.

Le 20 janvier 2024, à 19 :51 (EST), Pluton transite du Capricorne au Verseau. Il ne s'agit pas d'un transit définitif car Pluton reviendra dans le signe du Capricorne au moment des élections américaines et retournera en Verseau le 19 novembre 2024. Ces élections seront inoubliables car le séjour de Pluton en Capricorne du 1er septembre au 19 novembre coïncide avec elles. Ce transit augmente l'insécurité, la méfiance, les dilemmes et les turbulences dans l'environnement politique.

Au cours de la période précédant les élections, le pays sera confronté à de graves et profondes questions relatives à l'autorité et à la démocratie. Le résultat de ces élections sera un signe planétaire du changement et de l'évolution nécessaires. Il sera la voix des enjeux de la planète Pluton en transit.

Lorsque Pluton transitera le signe du Verseau, d'importants changements mondiaux commenceront à se produire. Ce transit entraînera une analyse profonde de la manière dont l'autorité, les gouvernements et les méthodes sociales sont traités dans le monde entier. Toutes les structures de pouvoir seront ébranlées et les normes établies seront remises en question. Tous ces changements se produiront progressivement.

Tous ces événements astrologiques auront un impact sur nous au niveau personnel. Tous les changements globaux tendent à nous motiver à grandir en tant qu'individus. Si vous pouvez comprendre les enjeux et les énergies en jeu, vous aurez la possibilité de vous préparer aux changements qui peuvent vous affecter directement.

Alors que le monde subit ces changements de valeurs sociales, nos valeurs changent également. Cela implique une réévaluation de nos croyances, de nos priorités et de nos modes de pensée. Au fur et à mesure que nos valeurs changent, nous entrons en relation avec des personnes qui partagent nos convictions.

Les changements financiers qui résulteront de ces influences créeront des opportunités professionnelles car de nouveaux secteurs émergeront. Il est nécessaire de se tenir au courant des nouvelles tendances économiques pour réussir dans ces systèmes en mutation.

L'entrée officielle de Pluton dans le Verseau commence le 19 novembre 2024. Pluton déforme, corrompt et transforme les thèmes de la planète qui gouverne le signe dans lequel il transite. Ces thèmes subissent un processus de mort et de renaissance et finissent par être changés à jamais.

Le signe du Verseau est lié à la science, aux découvertes scientifiques, à la technologie, au cosmos, aux révolutions politiques et sociales, aux changements sociaux et aux idées libérales.

Les événements possibles de Pluton en Verseau comprennent un large éventail d'avancées technologiques et scientifiques. De nombreuses avancées spécifiques verront le jour dans les domaines de l'intelligence artificielle et de la nanotechnologie. Nous connaîtrons littéralement une révolution industrielle, étant donné que le signe du Verseau régit la technologie. Nous vivrons des événements extrêmement importants liés aux voyages *dans l'espace, à l'existence des extraterrestres et à la mise en œuvre de technologies qui réduiront notre dépendance au pétrole.*

Un autre changement qui se produira avec ce transit concernera la structure du pouvoir, la liberté et la capacité à donner une voix aux opprimés. Avec Pluton en Verseau, un ouragan de développements politiques se prépare et ce n'est un secret pour personne que les régimes autoritaires abondent. La division politique que nous avons observée aux États-Unis va encore s'accélérer. Les luttes de pouvoir et la création de nouveaux partis politiques se poursuivront.

Il y aura une séparation des prototypes caractéristiques du pouvoir au fur et à mesure que les dominés acquièrent plus de pouvoir et de droit à la justice.

En bref, un cycle totalement inconnu est en cours. L'année 2024 est un portail vers une dimension complètement différente. Les trois planètes extérieures Jupiter, Saturne, Uranus et Neptune. Elles travailleront à l'unisson pour nous aider à créer une réalité complètement différente. Uranus, Neptune et Pluton uniront leurs forces pour élever notre conscience et inscrire l'ère du Verseau dans le marbre.

Nous avons la chance que la technologie et la spiritualité nous soutiennent dans ces changements vers un monde complètement différent, où l'originalité et l'évolution personnelle prévalent, alors que de plus en plus de personnes s'éveillent et se déconnectent de l'oppression mentale à laquelle elles ont été soumises.

Nous devons être raisonnables et nous rappeler que pour que ce nouveau cycle avance, toutes les structures obsolètes doivent continuer à s'effondrer, comme c'est le cas depuis 2021. Saturne, maître impitoyable, a la charge de ce processus lors de son passage en Poissons, tandis que Jupiter tend sa main douce.

Les nœuds lunaires sur l'axe du Bélier et de la Balance continueront à mettre fin aux relations toxiques, abusives et addictives.

N'oubliez pas que l'astrologie joue un rôle dans l'alignement des événements sur le comportement humain. La prudence et l'adaptation sont des qualités décisives pour les opportunités et les défis de 2024.

La fusion des connaissances astrologiques et de l'expérience vécue nous permettra d'avancer vers un avenir plus radieux.

N'oubliez pas que lorsque le monde change, vous avez la possibilité de changer avec lui. Si vous ne résistez pas au changement, vous passerez l'année 2024 en bonne santé.

Bonne année 2024 !

Bélier

Puissant et charismatique, le Bélier, premier signe du zodiaque, se nourrit du feu, son élément naturel, lorsqu'il s'agit d'amour et de romance.

Connus pour leur tempérament imprévisible et leur tendresse, les Béliers ont de multiples facettes en matière d'amour.

Le succès du Bélier tient en partie à son magnétisme et à sa capacité naturelle à attirer grâce à son enthousiasme et à son optimisme innés, animant toutes ses relations par sa joie de vivre contagieuse.

Le Bélier étant un signe aussi ambitieux, il n'est pas étonnant qu'il recherche la relation parfaite. Le Bélier pourrait vous dire que la relation idéale est une relation sans disputes, mais en réalité ce signe est plus heureux avec une dose excitante de tension.

Il aime gagner et la compétition l'incite à montrer ses meilleures qualités.

Si vous voulez l'occuper, n'oubliez pas de reconnaître ses victoires.

Tous les signes de feu (Bélier, Lion et Sagittaire) ont besoin d'un public, mais le signe du Bélier est peut-être le plus audacieux lorsqu'il s'agit de montrer son besoin de validation, et vous aurez toujours une relation heureuse avec le Bélier assertif si vous terminez chaque mot par un point d'exclamation au lieu d'un point d'interrogation.

L'ego du Bélier fait partie de sa configuration cosmique et peut parfois être arrogant, mais son ego n'est pas négatif. En fait, tout le zodiaque commence par la confiance en soi du Bélier.

L'esprit vif du Bélier est vivifiant et stimulant, mais il peut être délicat car le Bélier exige une attention constante qui, si elle n'est pas bien gérée, peut l'épuiser. Il est important que les partenaires du Bélier apprennent à dire non, même si cela signifie qu'ils doivent supporter des crises de colère occasionnelles.

N'oubliez pas que les Bélier testent toujours les limites ; par conséquent, ne soyez pas surpris si votre partenaire Bélier dit ou fait parfois quelque chose d'inapproprié. C'est sa façon de mesurer ce qui peut ou ne peut pas être abordé ; par conséquent, si votre partenaire Bélier fait quelque chose de mal, assurez-vous de le lui dire immédiatement.

Ce signe de feu respecte les limites personnelles, donc une fois qu'il aura compris les paramètres de votre relation, il s'assurera de respecter vos exigences.

Le Bélier a besoin d'être protégé et soutenu à tout moment et, malgré son image de force, il est en fait extrêmement délicat ; par conséquent, si vous êtes prêt à jouer le rôle de meneur de jeu émotionnel, votre partenaire Bélier vous en sera éternellement reconnaissant.

Le Bélier est très ambitieux et veut faire partie d'un partenaire qui brille en privé et en public. Cependant, si les aspirations du partenaire du Bélier dépassent cela, ce signe de feu devient un peu jaloux.

Si cela se produit, ne vous inquiétez pas : trouvez une occasion de célébrer vos réalisations et vous rayonnerez certainement de gratitude.

Il est déconseillé de jouer en amour, mais les choses sont différentes avec le Bélier, qui aime les défis. Cependant, il ne faut pas avoir recours à la manipulation, car le Bélier est franc et il n'y a rien qu'il déteste plus que d'être taquiné.

Vous pouvez plaisanter et être enjoué, mais en fin de compte, assurez-vous de toujours le faire avec des intentions honnêtes.

Le Bélier aime le confort et apprécie le style. Si vous cherchez de nouvelles façons d'attirer son attention, n'ayez pas peur de vous démarquer : il est attiré par les choix de mode stimulants, les couleurs vives et les motifs audacieux.

Les malentendus captent son cœur ardent et, comme il aime la gaieté, s'il vous voit vous amuser, il sera immédiatement attiré par elle.

Le Bélier se nourrit de passion, et lorsqu'il s'agit de relations à long terme, il est essentiel de trouver des moyens nouveaux et excitants de maintenir la flamme de l'amour constamment allumée.

Le sexe est important pour le Bélier ; le contact physique le rassasiera sûrement.

Ils veulent toujours sentir que la relation est un choix et non une obligation ; ils maintiendront donc l'étincelle en insufflant à leur relation de l'aventure, du drame et, bien sûr, des disputes occasionnelles.

Si vous êtes en couple avec un Bélier depuis longtemps, vous savez que votre relation arrivera à la croisée des chemins.

Le Bélier ayant l'habitude de se lancer à corps perdu dans les relations amoureuses, il est très important pour lui d'avoir des moments de réflexion, car il a besoin de liberté pour considérer les implications à long terme de son engagement. C'est pourquoi vous devez lui laisser l'espace nécessaire pour peser les options et prendre une décision.

Après un peu de réflexion, votre partenaire Bélier reviendra certainement à la relation avec plus d'enthousiasme.

Horoscope général pour le Bélier

L'année dernière a été stimulante et passionnante. On ne s'est jamais ennuyé. La vie semblait trépidante et délirante. En apparence, c'était de la folie, mais en réalité, il s'agissait d'un programme spirituel profond. J'ai été et j'ai été libéré de toutes sortes de servitudes.

Les prédictions pour le Bélier en 2024 indiquent que la première moitié de l'année sera pleine de chance, d'amour et de croissance. Mais dans la seconde moitié de l'année, il pourrait y avoir des problèmes de santé, d'affaires, de vie amoureuse, de travail et bien plus encore.

Cette année 2024, vous pouvez avoir quelques problèmes de santé et des hauts et des bas dans votre situation financière, mais fondamentalement, votre santé sera la principale préoccupation.

Les hauts et les bas sont également perceptibles dans votre vie amoureuse. Essayez de maintenir le respect dans vos relations.

La planète Mercure devient directe la première semaine de janvier et ce changement cosmique mettra l'accent sur votre vie sociale tout au long de l'année. Vous avez tous les atouts pour une année prospère, alors soyez à l'affût de toutes les opportunités.

Bélier, cette année 2024, vous devez essayer d'être cohérent avec votre travail et votre dévouement. Si vous travaillez sur un projet depuis longtemps ou si vous vous y êtes consacré avec enthousiasme, le destin tournera les choses en votre faveur. Le ciel déversera une avalanche de positivité et de succès dans votre vie.

Les influences planétaires vous rapprocheront encore plus de l'amour de votre vie si vous n'avez pas de partenaire. L'horoscope 2024 indique que vous partagerez une relation romantique agréable avec un partenaire cette année. Il peut y avoir quelques malentendus et des conflits mineurs, mais l'expérience globale sera un bonheur absolu.

Les liens familiaux seront satisfaisants. Vous pourrez compter sur vos proches en toutes circonstances. Il y aura toujours des désaccords et des divergences d'opinion avec votre entourage, mais il n'y a pas de mauvaises surprises dans votre horoscope 2024.

Attendez-vous à quelques changements dans votre profession, mais vous aurez du travail et de l'argent, les choses les plus importantes en cette période de récession. Vous serez passionné et ambitieux dans tout ce que vous ferez. La monotonie ne sera pas présente dans votre vie, qui sera aussi excitante et somptueuse que vous le souhaitez et que vous pouvez l'imaginer. La seule suggestion est de travailler dur et de profiter de toutes les opportunités privilégiées qui se présenteront à vous au cours de l'année.

Il ne faut jamais agir de manière impulsive, car cela peut ruiner les chances de réussite.

Amour

Vous devez apprendre à partager sans étouffer : c'est la merveilleuse clé qui vous ouvrira la porte du cœur de votre partenaire affectif ou de la personne que vous voulez conquérir.

Si vous n'avez pas de lien fort avec votre partenaire, chaque période de Pleine Lune vous incitera à réévaluer les priorités de votre relation et il se peut que vous ayez à faire plusieurs changements pour le mieux. Si vous faites les bons choix, vous vous impliquerez davantage ou vous vous éloignerez si vous pensez que la relation n'a pas d'avenir. En revanche, il y a des relations et des liens qui ne vous conviennent plus et que vous serez obligé d'abandonner ou, du moins, de ne plus y consacrer autant de temps et d'énergie.

L'année se termine sur une note fragile pour vous avec Mars, votre planète maîtresse, rétrograde le 6 décembre 2024 dans votre secteur amoureux.

La fin de l'année 2024 sera une période difficile pour l'amour et il sera difficile de gérer vos relations, car d'anciens problèmes reviendront et vous pourriez avoir des disputes constantes avec vos proches.

Essayez d'être plus compréhensif, plus patient et d'avoir un exutoire sain pour vos frustrations.

L'économie

Uranus restera dans votre secteur financier tout au long de l'année, continuant à changer votre façon de gérer l'argent, de gagner et de dépenser.

Essayez de trouver des opportunités financières et faites tout ce que vous pouvez pour assimiler cette énergie stimulante.

Vous pouvez transformer un hobby en quelque chose de rentable ou commencer un deuxième emploi pour gagner de l'argent supplémentaire. Cela peut vous aider à atténuer certaines difficultés et à rembourser certaines dettes.

Vous réaliserez des gains financiers grâce à des investissements boursiers. Vous investirez dans des projets commerciaux, comme l'achat d'une maison ou d'un terrain pour la construire, et vous rembourserez un emprunt.

Les prévisions économiques pour 2024 indiquent que vous percevrez des revenus provenant de biens immobiliers ou de propriétés.

Les autres vous verront plus confiant et vous confieront peut-être plus de responsabilités. Ils peuvent vous confier le contrôle d'un projet.

C'est une excellente année pour postuler un meilleur emploi, même s'il requiert davantage de qualifications professionnelles.

À certaines périodes de l'année, on peut s'attendre à des changements, des pertes ou des revers qui vous amèneront à envisager de nouvelles stratégies pour votre avenir. Ces situations défavorables sont indépendantes de votre volonté et sont dues aux conditions économiques générales.

L'année 2024 se termine par une Nouvelle Lune le 30 décembre dans votre domaine professionnel, ce qui vous aidera à vous mettre sur la bonne voie pour 2025.

Fixez de nouveaux objectifs et examinez les possibilités de rendre l'année à venir spectaculaire.

Famille

Vous pourriez passer plus de temps à la maison, à essayer de faire fonctionner votre vie de famille, et ce pourrait être l'année de la rénovation de votre maison, ou vous pourriez décider de déménager.

Profitez des périodes de Nouvelle Lune pour améliorer votre vie domestique ou passer plus de temps chez vous ou dans des endroits familiers.

Vous aurez peut-être l'occasion de faire quelque chose avec votre famille ou quelqu'un que vous considérez comme votre famille, ce qui peut être passionnant.

Vous assurerez la stabilité financière de votre famille. En effet, si vous épargnez et planifiez, vos ressources contribueront au bonheur de votre famille. Vous aurez l'occasion de vous faire de nouveaux amis et peut-être qu'une naissance ou un mariage viendra s'ajouter à votre famille après mars 2024.

Les soucis alimentaires, les troubles du sommeil dus à la charge de travail, tout cela peut causer beaucoup d'anxiété.

Santé du Bélier

Douter de votre puissante énergie serait une erreur, mais c'est un problème parce que vous pensez que vous n'avez pas de limites et cette façon de penser vous conduit toujours à en abuser. Vous abusez de votre potentiel physique comme si vous étiez Hercule et non un simple mortel.

En réalité, le corps et l'esprit ont besoin de repos et de soins pour fonctionner de manière optimale.

Vous aurez de gros problèmes de santé dans votre vie, non seulement physiquement mais aussi mentalement. En 2024, vous devrez prendre soin de votre santé, car de nombreux obstacles se dresseront sur votre chemin.

Il ne s'agit pas d'une blessure ou d'un trouble physique, mais votre santé mentale sera au plus mal et vous aurez du mal à faire face mentalement aux événements de votre vie.

Vous serez confronté à des défis majeurs et vous vous sentirez frustré au point qu'il vous sera difficile de les surmonter.

Il est nécessaire de ramener la paix dans sa vie, de mettre de côté les problèmes de colère et de faire de son mieux pour réduire le stress.

Vous devez éviter les personnes toxiques qui vous stressent et mener une vie saine. Si vous fumez ou buvez, vous devez arrêter.

Pratiquez le yoga et faites de l'exercice pour avoir l'esprit tranquille. Pour réduire le stress et éviter les problèmes de santé chroniques, vous devriez pratiquer ces activités de manière régulière tout au long de l'année.

Dates importantes

- **Mercure rétrograde en Bélier du 1er au 25 avril** *et* **éclipse solaire en Bélier le 8 avril.** *Mercure rétrograde* *dans votre signe peut être une période frustrante, où de petits inconvénients surgissent soudainement et où vous pouvez être constamment irrité. En général, vous devriez être plus patient et essayer de vous préparer avant que cela ne se produise, en éliminant les petits obstacles afin qu'ils ne semblent pas être un problème.*

- **Le 17 octobre, la pleine lune en Bélier est une** *période riche en émotions, mais aussi en résultats. Vous serez plus à l'écoute de vos émotions et plus enclin à les montrer.*

- **Mars, votre planète maîtresse, devient rétrograde le 6 décembre et termine l'année rétrograde.** *Cette rétrogradation a un impact supplémentaire sur vous, car Mars est votre planète dirigeante et chaque fois qu'elle est rétrograde, vous pouvez vous sentir léthargique. Vous devez être indulgent avec vous-même et ne pas laisser les frustrations vous conduire au désespoir. Faites preuve de souplesse dans vos projets. Cette situation se poursuivra au cours de la nouvelle année, puisque Mars sera rétrograde jusqu'au 23 février 2025.*

Taureau

Il est facile de tomber amoureux du Taureau. Ce signe n'est que poésie et passion. Dirigé par Vénus, la planète de l'amour, le Taureau aime la bonne vie et, en fait, ne se contente jamais de moins que ce qu'il mérite, une particularité qui lui a valu le titre de signe le plus têtu du zodiaque.

Dirigé par Vénus, le Taureau aime le romantisme, sait être romantique et aime être courtisé, il sait donc naturellement séduire. Le Taureau est passionné, prend ses responsabilités au sérieux et veut un partenaire pour la vie, car il est très traditionnel.

Rien n'excite plus le Taureau que ce sentiment de sécurité. Le Taureau est apprécié pour être un petit ami stable, concret et honnête. Une chose très importante à garder à l'esprit est que, avant la fidélité, le Taureau a besoin d'être nourri et arrosé comme s'il n'y avait pas de lendemain. Etant étroitement lié à Vénus, votre forme de séduction tourne autour de l'érotisme, donc si vous êtes prêt à le faire tomber amoureux, préparez-vous à un voyage plein d'échos et d'arômes.

Le Taureau étant très attaché au monde matériel, il aime exprimer son adoration par des cadeaux et n'oserait jamais lui offrir des choses de peu de valeur.

Le Taureau manifestera son admiration par un cadeau qui capte son esprit. Il ne s'agit pas d'un cadeau totalement altruiste : il attend quelque chose en retour.

Votre Taureau a besoin de savoir que vous tenez à lui et que la relation est réciproque. Après tout, chaque fois qu'il exprime une appréciation ou une aversion, il s'attend à ce que vous vous en souveniez. Soyez attentif aux commentaires de votre partenaire Taureau et prenez des notes.

Si elle mentionne qu'elle aime le pudding à la citrouille, elle attendra que vous lui en achetiez un. Bien que le Taureau soit imprégné de sensualité, il est très important de ne pas en faire trop. En fait, ce spécimen terreux se méfiera de toute personne ayant une approche grossière, alors prenez le temps de gagner sa confiance.

En amour, le Taureau n'est pas pressé ; profitez donc de l'occasion pour aller de l'avant calmement, en laissant la relation se développer naturellement.

Ils mettent du temps à s'ouvrir car ils apprécient tout le processus et, pour ce couple vénusien, tomber amoureux est une expérience incroyablement magique et précieuse. Le Taureau apprécie la sécurité et tend à se rapprocher de partenaires qui partagent ses idées sur les finances, la carrière et la famille.

Ce sujet étant très important pour lui, il est facile d'évaluer ses intentions dès le départ. Ainsi, si au troisième rendez-vous, le Taureau vous pose des questions sur vos revenus, vos aspirations professionnelles ou la maison de vos rêves, vous pouvez vous convaincre qu'il souhaite faire des progrès sérieux.

Le sexe est une chose très importante pour les amoureux du Taureau. Par conséquent, l'acte lui-même n'est pas aussi important que sa préparation.

Les préliminaires sont ce qui l'excite le plus et, comme tout avec cet enfant de Vénus, ils doivent être une expérience sensorielle complète. N'oubliez pas : le Taureau aime la tradition et ces gestes d'adoration consacrés seront bien accueillis et créeront l'atmosphère de soirées extrêmement passionnées.

La zone érogène du Taureau est le cou, c'est pourquoi un baiser dans cette zone le rendra fou. Bien que le Taureau aime être avec son partenaire, il a également besoin de beaucoup de temps seul pour se chouchouter, il prend ses rituels de soins personnels au sérieux et, surtout si son espace est menacé, il peut devenir très possessif à l'égard de ce qui l'entoure.

Ne touchez jamais aux objets sacrés du Taureau. Pour eux, prendre quelque chose sans permission est une déclaration de guerre.

Comme ce signe apprécie tout ce qui est bon et se soucie de tout ce qu'il possède, ce qui peut rapidement dégénérer en une légère tendance à l'accumulation, ne jetez en aucun cas ce qui appartient au Taureau. Cela ne vaut pas la peine de risquer leur colère. Et avec leurs goûts de luxe, il n'y a presque rien qui vaille la peine d'être jeté.

Pour le Taureau, la qualité est plus importante que la quantité. En d'autres termes, le partenaire du Taureau ne se soucie pas du nombre de portefeuilles que vous possédez, tant qu'ils sont luxueux. Lorsqu'il s'agit d'une relation à long terme avec un Taureau, l'argent est important. Bien sûr, cela ne signifie pas qu'ils sont exclusivement attirés par les milliardaires.

En réalité, l'objet n'est pas si important. Ce qui fait la différence, c'est la manière dont le partenaire gagne et économise ses revenus.

N'oubliez pas de toujours reconnaître le succès mérité de votre partenaire Taureau.

Ce signe semble un peu complexe, mais lorsque vous commencerez à vous adapter à ce mode de vie, vous vous rendrez compte que tout est justifié.

Le Taureau aime la nourriture, le chemin vers le cœur du Taureau passe par l'estomac ; par conséquent, les relations les plus sensuelles incluront toujours un repas gastronomique.

Horoscope général pour Taureau

Uranus restera dans votre signe tout au long de l'année et se joindra à Jupiter à partir de 2024. La combinaison d'Uranus et de Jupiter est fabuleuse pour développer des projets et saisir des opportunités qui vous apporteront de nombreux bénéfices.

L'année commence avec une grande énergie positive dans votre signe, ce qui vous donnera un sentiment de rajeunissement. Cependant, cet enthousiasme peut aussi provoquer de l'impatience.

Vous vous efforcerez de réussir, mais il y aura peut-être des mois où vous vous sentirez agité et stressé.

Des distractions extérieures peuvent interrompre votre progression au travail. Vous pouvez vous sentir démotivé et perdre tout intérêt pour votre travail. Vous risquez également de ne pas savoir quelle voie choisir.

Cette année 2024, vous pourriez être confronté à de nombreuses situations où vos émotions et votre nature sensible interfèrent avec votre capacité à traiter l'information, obscurcissant vos processus mentaux et affectant votre raisonnement.

Vous devez faire très attention aux personnes que vous côtoyez dans votre vie quotidienne. Essayez d'être gentil avec elles, mais ne laissez pas les personnes toxiques vous entourer.

Si vous souhaitez créer une nouvelle entreprise cette année, il est préférable de le faire avant le mois d'avril. Au cours du premier semestre, vous pourrez également tirer le meilleur parti de vos relations avec l'étranger.

Après le 1er mai, Jupiter entrera dans votre signe du zodiaque et renforcera votre capacité à prendre des décisions, ce qui vous permettra d'obtenir les résultats que vous souhaitez dans le domaine des affaires et vous rendra heureux de constater les progrès réalisés dans votre entreprise. Cette année, vous serez également en mesure d'intégrer votre partenaire dans votre entreprise.

Il se peut que vous viviez des moments chaotiques cette année, mais n'acceptez pas la défaite et n'abandonnez pas votre confiance et votre courage. Vous vous sentirez parfois perdu et même exclu, alors prenez du recul, analysez ce qui ne va pas et allez de l'avant.

Amour

Si vous avez un partenaire, vous vous sentirez heureux dans votre relation. Cependant, certains doutes ou incidents du passé peuvent interrompre votre bonheur.

Si vous êtes à la recherche d'un partenaire, vous devez vous souvenir de vos expériences passées, qui vous ont appris des leçons importantes. Ces leçons vous aideront à suivre le bon chemin.

Vous devez cultiver la patience et la tolérance dans vos relations ; ce n'est qu'à cette condition que vous connaîtrez le véritable amour. Les différences peuvent être mises de côté si vous êtes patient dans l'amour.

Certains mois de l'année, il peut y avoir des moments d'incertitude dans votre relation, mais ces situations s'amélioreront d'elles-mêmes.

Si vous cherchez l'amour, le mois de mai vous apportera de bonnes nouvelles. L'influence de Jupiter peut faciliter les demandes en mariage. Vous pourriez vous rencontrer et transformer votre relation en un engagement à long terme, tel que le mariage.

Vous devez être patient avec votre partenaire lorsque vous prenez des décisions concernant votre vie privée et éviter toute interférence de la part de tiers.

Cette année est également marquée par des phases de manque d'intimité sexuelle et de réactions agressives, qui mettent la relation en danger.

Cela pourrait signifier que vous travaillez inconsciemment sur de vieux problèmes et blocages, en essayant de renforcer vos liens émotionnels afin de vous sentir plus à l'aise dans les relations.

Pendant les périodes de pleine lune, les relations amoureuses qui sont solides peuvent être renforcées et celles qui ne sont pas sûres peuvent échouer.

Pendant les périodes de rétrogradation de Mercure, il est possible que les problèmes amoureux existants s'aggravent.

L'économie

Cette année sera placée sous le signe de la stabilité et de l'épanouissement professionnels. Saturne en Verseau vous incitera à adopter une approche disciplinée et stratégique de votre profession.

L'année 2024 est favorable pour fixer des objectifs à long terme, se perfectionner et construire une structure solide pour votre avenir, car Jupiter transitera dans votre signe jusqu'à la fin du mois de mai 2024.

Le transit de Jupiter dans votre signe vous apportera de nombreuses opportunités dans votre domaine professionnel. Ce transit vous motivera à quitter votre zone de confort et à explorer de nouveaux horizons.

Pluton transitera votre secteur professionnel pendant la majeure partie de l'année 2024, ce qui vous poussera à prendre les choses en main et à devenir autonome. Vous pouvez être considéré comme une force professionnelle, ce qui signifie que votre capacité à réussir est due à votre volonté. Il se peut aussi que vous assumiez davantage de responsabilités, mais il faut espérer que vous saurez les mener à bien.

Vous passerez une excellente année dans votre vie professionnelle. Des bénédictions vous parviendront et l'Univers vous ouvrira les bras. Vous acquerrez de nouvelles connaissances et explorerez différentes possibilités de revenus.

Vos finances vont s'améliorer, mais il est également possible que vos dépenses augmentent. Si vous n'apprenez pas à contrôler les dépenses inutiles, vos finances risquent d'en pâtir.

Vos sources de revenus augmenteront cette année et votre santé financière globale sera bonne du début de l'année jusqu'au mois de mai.

Vous obtiendrez de nombreux retours sur vos investissements et vos efforts au travail seront efficaces pour renforcer votre position financière. Vous adopterez les outils numériques pour gérer votre entreprise.

Vous aurez l'occasion de réaliser certains projets en collaboration avec d'autres personnes, mais vous devez être très prudent dans cette détermination. Ne prenez pas de décisions hâtives, car vous pourriez être trompé, la collaboration pourrait être interrompue et l'activité pourrait échouer.

Santé du Taureau

Il est nécessaire de faire attention à ce que l'on mange. Il est essentiel de suivre un régime alimentaire recommandé par un professionnel. Il ne faut pas prendre de médicaments sans avis médical.

Il est nécessaire de faire de l'exercice régulièrement et d'éviter de fumer ou de boire trop d'alcool.

Il est nécessaire de prendre soin de ses dents. La meilleure façon de traiter ces désagréments non naturels est de se rendre chez le dentiste pour conserver un sourire éclatant.

Votre santé mentale doit être prise en compte. Vous êtes peut-être fort physiquement, mais votre santé émotionnelle et mentale est tout aussi importante.

Les femmes Taureau peuvent avoir des problèmes hormonaux.

Les maladies virales peuvent faire l'objet de rechutes et rendre la vie difficile ; il convient donc de consulter immédiatement un médecin si nécessaire.

La pratique du yoga et de la méditation permet de se détendre.

Famille

Votre vie familiale sera excellente cette année. Tous les conflits en suspens seront résolus et une atmosphère de paix et de bonheur reviendra dans votre foyer.

L'amour subsistera entre les membres de votre famille, il y aura de la solidarité.

Vous êtes susceptible de déménager après le premier trimestre de l'année. Vous devez prendre soin de la santé de vos parents et les respecter s'ils sont encore en vie. Avec leur bénédiction, vous progresserez dans la vie.

Les célibataires pourront se fiancer et les couples mariés renforceront leurs liens cette année. Au cours des trois derniers mois de l'année, en raison de votre confiance, vos ennemis essaieront de vous nuire et de retarder le bonheur de votre famille, soyez donc vigilant pendant cette période.

Dates importantes

- *27 janvier Uranus termine son mouvement rétrograde en Taureau Uranus vous proposera des moyens inhabituels de trouver un sens à votre vie.*

- *Le 19 avril, le Soleil entre en Taureau. Il est temps de ralentir, de consolider vos engagements*

151

et de réfléchir à ce que vous voulez vraiment faire de votre temps.

- **29 avril Vénus entre en Taureau.** *Le luxe est agréable, mais à ce stade, ce qui compte vraiment, c'est le plaisir. Essayez de faire quelques caprices et de vous laisser aller à quelques fantaisies. Il y a beaucoup de choses merveilleuses qui sont gratuites. Ce transit de Vénus vous apportera le succès dans les affaires juridiques.*

- **7 mai, Nouvelle Lune en Taureau : C'est le** *moment idéal pour prendre un nouveau départ, rechercher de nouvelles opportunités et s'engager dans une voie différente. Jupiter favorise toute nouvelle activité.*

- **15 mai Mercure entre en Taureau.** *Vous serez en mesure de communiquer de manière plus pratique et vous aurez une plus grande capacité de concentration.*

- **Mars dans votre signe du 9 juin au 20 juillet.** *Lorsque Mars transite dans votre signe, c'est une période de grande énergie et d'enthousiasme. Vous devriez profiter des nouvelles opportunités* *et agir rapidement. Mars ne transite un signe que tous les deux ans, alors profitez de cette opportunité. Il est temps de commencer un nouveau chapitre de votre vie.*

- ***Pleine Lune dans votre signe le 14 novembre***. *Cette lune peut mener à la conclusion de relations ou au succès d'une idée commerciale. Vous serez récompensé et vous vous sentirez émotionnellement impliqué dans ce que vous faites.*

Gémeaux

Le Gémeaux est un signe d'air qui trouve facilement sa place parmi les amis, les fêtes et les soirées. Les Gémeaux sont gouvernés par Mercure, la planète de la communication, et il est donc toujours possible de trouver des sujets de conversation intéressants.

Les Gémeaux sont d'excellents raconteurs de blagues et leur énergie dynamique et leur magnétisme attirent les partenaires romantiques. Les jaloux doivent savoir que les Gémeaux ne sont jamais seuls, car ils ont toujours des fans et des adeptes.

Comme les Gémeaux expriment leurs émotions à l'extérieur, ils aiment parler. Cette expression de soi est essentielle pour le Gémeaux mercurien ; il est donc nécessaire que toutes les lignes de communication soient ouvertes et prêtes à recevoir des informations de la part du Gémeaux.

Vous ne vous souciez pas vraiment de la manière dont vos idées sont transmises, l'action de partager vos pensées est plus importante que ce que vous dites. Il n'y a rien que le Gémeaux méprise plus que le temps libre : il est toujours occupé. Vous êtes toujours en mouvement avec vos nombreux hobbies, inclinations et obligations sociales.

Ce signe d'air peut se plaindre d'être surmené, mais si l'on analyse son emploi du temps quotidien, toutes ses tâches sont facultatives, ce qui montre que l'emploi du temps des Gémeaux n'est rien d'autre que le résultat de leur dualité unique.

Les Gémeaux aiment partager leurs pensées et leurs idées, mais ils n'écoutent pas bien et sont facilement distraits ; il est donc essentiel de s'assurer que votre partenaire Gémeaux vous prête attention.

Si par hasard vous le voyez se retirer de la conversation, n'hésitez pas à le lui dire et à lui rappeler que la communication est une affaire à double sens. Il n'est pas facile de maintenir l'intérêt du Gémeaux ; au contraire, il ne sait pas rester concentré.

Ce signe a pratiquement tout vu et le meilleur moyen de garder son regard fixé est de le maintenir en éveil. Apportez les changements nécessaires et n'oubliez pas que vous ne devez jamais compromettre vos valeurs ou vos besoins.

En apprenant à connaître les Gémeaux, amusez-vous à découvrir leur diversité. La technique de séduction qui fonctionne avec les Gémeaux est la conversation, et comme il s'agit du signe le plus polyvalent, ils adoreront vous parler de leurs hobbies et de leurs centres d'intérêt.

En raison de sa curiosité, parler à ce signe revient à se regarder dans un miroir, car il a la merveilleuse capacité de refléter tout ce qu'on lui dit. Cela peut paraître étrange, mais c'est en fait la nature de ce signe.

Sortir avec un Gémeaux est une expérience stimulante, mais il faut faire attention car les Gémeaux ont besoin d'une stimulation constante, ce qui rend parfois difficile d'apprendre à les connaître à un niveau émotionnel profond.

N'oubliez pas de trouver le temps de vous asseoir et de discuter avec votre partenaire Gémeaux sans distraction et n'ayez pas peur de lui rappeler que les réceptions agréables ne sont jamais du temps perdu.

Le Gémeaux aiment le sexe, pour lui c'est une autre forme de communication. Le Gémeaux à un fort appétit sexuel et quelques commentaires pénétrants suffisent à l'exciter.

Le Gémeaux a écrit une encyclopédie sur les conversations coquines. Vous pouvez donc l'exciter en lui expliquant exactement ce que vous aimez faire au lit. De cette façon, il sentira et analysera en même temps, une combinaison orgasmique.

L'une des particularités des Gémeaux est la rapidité avec laquelle ils se remettent des erreurs les plus dévastatrices. Contrairement à d'autres signes, ils ne sont pas guidés par leur ego. Ils aiment s'amuser, ils ne laissent donc pas leur ego les gêner et, lorsqu'ils commettent une erreur, ils ne sont jamais sur la défensive. Si le Gémeaux doivent s'excuser, il le fait immédiatement.

Bien que cette qualité soit très respectée, elle n'est pas entièrement généreuse. Les Gémeaux s'attendent à ce que vous acceptiez leurs excuses tout aussi rapidement. Les Gémeaux sont plus heureux lorsqu'ils sont occupés ; dès que leur emploi du temps devient trop détendu, ils trouvent des moyens de changer les choses.

Ce n'est pas qu'il a peur, c'est qu'il n'aime pas s'ennuyer.

Tout cela peut représenter un défi pour les partenaires des Gémeaux. Les relations stables exigent beaucoup d'attention et les Gémeaux ne peuvent pas la donner facilement ; par conséquent, lorsqu'ils sont en couple, ils doivent s'assurer de donner la priorité à leurs relations.

Comme ce signe d'air est prêt à tout essayer au moins une fois, mais parfois même deux fois, il aime explorer divers aspects de sa personnalité à travers les relations amoureuses.

Même s'ils ne le montrent pas, les Gémeaux recherchent un partenaire serein pour équilibrer leur *espace intime ou familial, car ils ont déjà assez à changer. Ce signe d'air est constamment à la recherche de quelqu'un avec qui entretenir une bonne relation, c'est pourquoi il est toujours en mouvement.*

Horoscope général pour les Gémeaux

Ce sera une excellente année pour les Gémeaux. Jupiter, la planète de la chance et des opportunités, traverse votre signe le 25 mai, ce qui n'arrive qu'une fois tous les 12 ans.

Pendant ce transit de Jupiter, de nombreuses opportunités se présenteront dans votre vie et vous vous sentirez plus optimiste. C'est un nouveau départ, un nouveau chemin, un nouveau voyage.

L'année 2024 vous apportera une grande chance, vous vous sentirez inspiré pour faire quelque chose de nouveau ou réaliser quelque chose que vous voulez faire depuis de nombreuses années.

Votre chance et vos efforts vous permettront d'établir votre nom dans le domaine professionnel et de vous créer une identité dans les affaires. En outre, vous pourrez mener à bien une tâche ancienne ou un projet en suspens depuis un an.

Vous pouvez gagner beaucoup d'argent, mais pour cela vous devez éviter de prendre des décisions irréfléchies et de vouloir construire un empire du jour au lendemain.

Si vous avez un emploi, vous travaillerez plus dur que l'année dernière, mais cela vous apportera de nouvelles opportunités et même des offres dans de *nouvelles entreprises. En général, Jupiter veillera à ce que vous obteniez les meilleures opportunités.*

Après juillet, vous devrez vous concentrer, car Saturne rétrograde peut créer des situations difficiles et tendues. Au cours de cette période, vous devrez faire preuve de prudence et planifier soigneusement pour éviter les erreurs.

En 2024, vous serez très heureux et satisfait de votre partenaire la plupart du temps. À partir de la seconde moitié de l'année, il y aura quelques conflits et malentendus dans votre relation et ce sera également une période où les perspectives de mariage ne se concrétiseront pas.

Donnez la priorité à votre partenaire, vous devez faire tous les efforts possibles.

Si vous êtes célibataire, vous rencontrerez quelqu'un, les chances étant plus grandes après le mois de mai. Vous pourriez rencontrer votre futur partenaire lors d'un voyage, créant ainsi un lien au fil du temps qui se transformera en une amitié profonde, débouchant éventuellement sur une relation romantique.

Deux éclipses se produiront dans votre secteur amoureux : une éclipse lunaire le 25 mars et une éclipse solaire le 2 octobre. L'éclipse lunaire vous permettra de vous rapprocher des personnes aimées avec lesquelles vous entretenez des liens sains et de vous éloigner des personnes toxiques. C'est peut-être le moment idéal pour régler des problèmes amoureux inachevés.

L'éclipse solaire peut apporter un nouvel amour dans votre vie. Si vous êtes célibataire, vous vous sentirez motivé pour sortir et attirer l'attention, tandis que si vous êtes en couple, l'éclipse ajoutera des étincelles de passion.

En 2024, votre santé financière s'améliorera et vous bénéficierez de nouvelles sources de revenus. Vous pourriez recevoir des revenus supplémentaires provenant de commissions, de la bourse, d'intérêts bancaires ou, peut-être, de la loterie.

Si vous avez rêvé d'acheter une nouvelle maison ou une nouvelle voiture, cela se réalisera cette année, et si vous avez besoin d'un prêt, vous pourrez l'obtenir facilement. Si vous travaillez dur professionnellement, votre compte en banque augmentera.

Il se peut que vous changiez de maison ou que vous effectuiez des travaux autour de la maison, et ce changement peut apporter des problèmes à la famille. La patience est nécessaire pour surmonter ces problèmes et ramener le bonheur dans la vie familiale.

Votre santé restera bonne tout au long de l'année, mais vous pourriez rencontrer quelques problèmes mineurs au milieu de l'année, car vous vous sentirez déprimé et fatigué à cause du stress. Cela peut se manifester par des problèmes digestifs dus à un manque d'appétit et à une agitation causée par des revers.

Amour

Cette année peut être marquée par des hauts et des bas émotionnels. Rappelez-vous qu'il est normal de ressentir des émotions variées et d'avoir des sautes d'humeur de temps à autre. Pour gérer vos émotions, il est important de trouver des moyens sains de le faire, par exemple en parlant à un ami de confiance ou à un membre de votre famille, en pratiquant des techniques de relaxation telles que la méditation ou en demandant l'aide d'un thérapeute en santé mentale si nécessaire. Vous devez prendre soin de vous et demander de l'aide si nécessaire.

Cette année est excellente pour les Gémeaux qui souhaitent établir une relation. Si vous avez pensé à vous fiancer, c'est l'année idéale pour le faire. Vous progresserez dans votre vie amoureuse cette année.

Bien que vous soyez très romantique et rêveur cette année et que vous ayez tendance à idéaliser l'être aimé, vous devez être prudent car vos fantasmes peuvent ne pas correspondre tout à fait à la réalité, ce qui pourrait entraîner des déceptions à l'avenir.

Essayez d'être cohérent, réaliste et d'accepter l'autre personne telle qu'elle est. Cette année, l'amour sera plutôt platonique.

En tout état de cause, cette année sera très propice à la socialisation et aux associations en tout genre.

L'économie

Cette année sera très bonne pour vous dans le domaine économique. Vous atteindrez votre objectif de changer d'emploi et ce nouveau départ vous apportera de nombreuses opportunités.

Votre courage sera admiré par les autres, mais il est important de bien choisir vos combats, car défendre ce en quoi vous croyez peut parfois entraîner des conséquences négatives.

Les planètes vous donnent le feu vert en matière d'argent. Mercure, votre planète maîtresse, vous soutiendra pleinement et veillera à ce que vos comptes bancaires soient bien remplis.

En mai, Jupiter transite votre signe, avec des effets bénéfiques sur les finances et la carrière, ainsi que sur les relations.

Vos ressources financières augmenteront certainement et ce sera une bonne année pour les investissements à long terme.

Bien sûr, cela ne se fera pas sans effort : vous devrez travailler dur, être discipliné et continuer à aller de l'avant tout au long de l'année.

Jupiter sera favorable à l'établissement de nouvelles relations avec des personnes importantes et au renforcement de vos liens sociaux.

Famille

Vous vous impliquerez plus émotionnellement avec ceux que vous considérez comme votre famille. Vous voulez que votre maison soit un sanctuaire, un espace sûr, et vous essayerez d'éliminer les problèmes de manière saine.

Pendant les périodes de rétrogradation de Mercure à la maison, vous risquez de casser des appareils ou d'avoir des problèmes d'eau. Cela peut non seulement être ennuyeux, mais aussi entraîner des conflits familiaux et, très probablement, être votre faute. Soyez patient, car il est très probable que ces appareils aient besoin d'un entretien de routine.

Cette année, de nombreux proches vous demanderont souvent conseil, ce qui vous fera vous sentir indispensable.

Votre famille va connaître des changements sentimentaux. Peut-être vos enfants ou vos frères et sœurs vous présenteront-ils leurs nouveaux partenaires, ce qui donnera une nouvelle dynamique à votre famille. Ces changements seront positifs.

Vous reprendrez contact avec des personnes dont vous vous étiez éloigné, vous leur donnerez une seconde chance et vous vous rendrez compte que tout n'est pas ce qu'on croit.

Santé des Gémeaux

Vous devez fournir un effort conscient pour donner la priorité à votre santé physique, en vous rappelant qu'une bonne santé est un élément essentiel pour réussir dans tous les domaines de votre vie. Vous devez prévoir de perdre du poids et de faire régulièrement de l'exercice, surtout en plein air.

Le mode d'alimentation est important, il faut donc faire attention au régime, augmenter l'apport en protéines et limiter les glucides pour éviter la prise de poids et les problèmes digestifs.

Certains Gémeaux se sentiront probablement fatigués, car leur système immunitaire sera faible. Ils connaîtront des phases de baisse d'énergie, mais la situation s'améliorera et ils retrouveront leur vigueur.

Si vous souffrez de problèmes de santé chroniques, tels que le diabète ou la tension artérielle, vous devez être vigilant tout au long de l'année. N'oubliez pas que le bien-être commence à la maison. Encouragez-vous à éliminer les aliments malsains de votre cuisine et essayez de vous approvisionner en produits biologiques. C'est le bon moment pour commencer à préparer des repas à la maison au lieu d'acheter des aliments transformés. Si vous commencez à manger de cette façon, vous vous sentirez toujours mieux.

Dates importantes

- **20 mai - Le Soleil entre en Gémeaux**

- **23 mai - Vénus entre dans les Gémeaux**

- **Le 25 mai, la planète Jupiter entre dans votre signe.** *Une période de grandes actions, de nouvelles perspectives, d'objectifs réalisables s'ouvre.*

- **03 juin - Mercure entre dans les Gémeaux**

- **6 juin Nouvelle lune dans votre signe.** *De nouvelles opportunités se présentent à vous, n'oubliez pas d'en tirer le meilleur parti.*

- ***Le 20 juillet, la planète Mars transite dans votre signe jusqu'au 4 septembre.*** *Mars dans votre signe vous remplira d'énergie et d'enthousiasme afin que vous puissiez réaliser tous vos buts et objectifs. C'est le moment idéal pour prendre un nouveau départ.*

- ***15 décembre Pleine Lune dans votre signe.*** *C'est à ce moment-là que vous obtiendrez les résultats de tout ce que vous avez fait jusqu'à présent.*

Cancer

Le Cancer est un signe d'eau, symbolisé par un Cancer marchant entre la mer et son rivage, une capacité qui se reflète également dans sa capacité à mélanger les états émotionnels et physiques.

L'intuition du Cancer, qui provient de son côté émotionnel, se manifeste de manière tangible et, parce que la sécurité et l'honnêteté sont fondamentales pour ce signe, elle peut sembler un peu froide et distante au début.

Le Cancer révèle peu à peu son esprit doux, ainsi que sa compassion sincère et ses capacités psychiques. Si vous avez la chance de gagner sa confiance, vous découvrirez que, malgré sa timidité initiale, il aime partager.

Pour cet amoureux, le partenaire est vraiment le plus beau des cadeaux et il récompense les relations par sa loyauté indéfectible, sa responsabilité et son soutien émotionnel. Il a tendance à être plutôt casanier et son foyer est un temple personnel, un espace dans lequel il peut exprimer sa personnalité.

Grâce à leurs compétences domestiques, les Cancers sont également de sublimes hôtes. Ne soyez pas surpris si votre partenaire Cancer aime vous *flatter avec des plats faits maison, car il n'y a rien qu'il aime plus que la nourriture naturelle.*

Les cancers sont également très anxieux à l'égard de leurs amis et de leur famille et aiment jouer un rôle protecteur qui leur permet de nouer des liens passionnés avec leurs compagnons les plus proches.

Mais n'oubliez jamais que lorsque le cancer s'investit émotionnellement dans quelqu'un, il risque de brouiller la frontière entre soins et contrôle.

Le Cancer a également une nature inconstante comme la Lune et une propension à l'instabilité. Le Cancer est le signe le plus grincheux du zodiaque. Leurs partenaires doivent apprendre à apprécier leurs variations émotionnelles et, bien sûr, le Cancer doit aussi contrôler sa sentimentalité.

Leurs habitudes défensives ont un revers et, lorsqu'ils se sentent provoqués, ils n'hésitent pas à se mettre sur la défensive. Les cancers doivent se rappeler que les erreurs et les disputes occasionnelles ne font pas de leur partenaire un ennemi. En outre, ils doivent s'efforcer d'être présents de manière énergique dans leurs relations.

En tant que signe émotionnel et introspectif, il vous est facile de vous renfermer sur vous-même la plupart du temps et si vous n'êtes pas présent dans une relation, la prochaine fois que vous sortirez de votre coquille, votre partenaire ne sera peut-être plus là pour vous.

Le Cancer sait écouter et, lorsqu'il sort de sa coquille, il est une éponge émotionnelle. Le partenaire du Cancer absorbera vos émotions, ce qui peut parfois être un soutien, mais aussi une source d'étouffement.

Il n'est pas facile de savoir si le Cancer vous imite ou s'il est en empathie avec vous, mais comme il est très attaché à son partenaire, cela ne fait aucune différence.

Si le soutien émotionnel du Cancer entrave votre personnalité, il est préférable de le laisser tomber. Ce signe sensible est facilement contesté par les opinions les plus subtiles et, bien qu'il évite les conflits directs en marchant de biais, il peut aussi utiliser ses molaires.

Ce comportement typiquement insouciant et provocateur est prévisible, et il est rare de sortir avec le Cancer sans goûter au moins une fois à sa mauvaise humeur caractéristique.

En raison de la sensibilité des Cancers, il n'est pas facile de se disputer avec eux, mais avec le temps, vous apprendrez quels mots dire et, peut-être plus important encore, lesquels éviter. Soyez conscient de ce qui agace votre partenaire et, avec le temps, il vous sera plus facile d'avoir des dialogues difficiles.

Il est important de savoir comment cette créature magique fonctionne dans le meilleur et dans le pire des cas. En fin de compte, la chose la plus importante à retenir est que le Cancer n'est jamais aussi indifférent qu'il n'y paraît.

La chose la plus difficile à faire avec le Cancer est de briser sa surface dure et rigide. C'est pourquoi la tolérance est essentielle lorsque vous flirtez avec le Cancer. Gardez un rythme lent et régulier et, avec le temps, vous gagnerez la confiance nécessaire pour révéler votre vraie nature.

Bien sûr, ce processus peut être long et compliqué et la moindre erreur peut mettre le Cancer sur la défensive, de sorte que deux pas en avant peuvent se transformer en un pas en arrière. Ne vous découragez pas, il n'y a rien de personnel, c'est juste la physiologie du Cancer.

Le Cancer peut avoir des relations sexuelles occasionnelles, mais ce signe d'eau douce préfère les relations émotionnellement intimes.

Rappelez-vous que le Cancer a besoin de se sentir complètement à l'aise avant de sortir de sa coquille, ce qui est particulièrement important en matière de sexualité. Pour le Cancer, la confiance se nourrit de la proximité physique.

Vous pouvez commencer à cultiver une relation sexuelle avec le Cancer, en l'intégrant petit à petit, en tenant compte de votre rythme et de vos caresses. Cela permettra au Cancer de se sentir plus à l'aise dans la fusion de l'expression émotionnelle et physique, en veillant à ce qu'il se sente protégé avant de commencer à faire l'amour.

Bien que le Cancer soit patient et tende à être extrêmement loyal, car il a besoin de se sentir protégé et compris par son partenaire, il peut rechercher l'intimité avec quelqu'un d'autre s'il a l'impression que ces exigences ne sont pas satisfaites.

Le Cancer peut être très espiègle, donc toute relation secrète sera calculée, et un Cancer perdu rendra nécessaire d'emporter ses pitreries dans la tombe, de prendre des mesures supplémentaires pour empêcher que la rencontre ne soit découverte, et d'enterrer les preuves sur la plage.

En fait, même le cancer le plus loyal aura des secrets, mais cela ne veut pas dire qu'il est mauvais ou méchant.

Tout le monde mérite de garder certaines choses secrètes, et un peu de mystère ajoutera à la relation.

Il n'est pas facile pour les Cancers d'établir une relation sérieuse et engagée et, une fois qu'ils se sentent en sécurité, ils ne veulent pas qu'elle se termine.

Le Cancer a tendance à entretenir des relations même après que les étincelles se sont éteintes parce que, tout simplement, le Cancer a un cœur sentimental. Mais, bien sûr, toutes les relations ne sont pas faites pour durer éternellement.

Ce signe d'eau ne veut pas être vindicatif, mais quand son cœur est brisé, il sait poser des limites.

Supprimer son numéro de téléphone, le bloquer et ne pas le suivre sur les médias sociaux vous permet de vous protéger de la douleur lors d'une rupture. Ainsi, si votre relation avec le Cancer prend fin, attendez-vous à recevoir une liste exhaustive de règles.

Le Cancer peut être idéaliste et ce signe d'eau recherche certainement sa propre transcription d'une histoire d'amour. Cependant, il interagit de manière différente avec chaque signe du zodiaque.

Horoscope du cancer

C'est une année fabuleuse pour les nouveaux départs, les nouvelles activités et les nouveaux projets. Ce que vous commencez maintenant sera au centre des cinq prochaines années de votre vie. Commencez l'année 2024 avec énergie, enthousiasme et excitation.

C'est une année où votre personnalité et votre vie professionnelle sont étroitement liées, et cette interaction est de la plus haute importance.

Vous souhaitez atteindre une certaine notoriété et être admiré pour votre travail personnel. Le succès est plus ou moins probable au cours de cette année, bien que vous puissiez le considérer comme insuffisant en raison de votre forte ambition.

Votre présence sera évidente dans le cercle dans lequel vous opérez, même si d'autres exigeront de vous des responsabilités.

En général, cette saison promet la réussite professionnelle et vous trouverez toujours les crédits et la protection dont vous avez besoin pour l'obtenir.

Vos affaires ou vos activités professionnelles seront sous les feux de la rampe. Les relations avec les personnes en position d'autorité et avec vos parents joueront également un rôle important, bien qu'il puisse y avoir un problème sérieux à résoudre.

Vous devez développer une certaine prudence à l'égard d'éventuels conflits dans la sphère professionnelle.

Cependant, c'est un bon moment pour vous concentrer sur vos objectifs et améliorer l'image que vous projetez à l'extérieur.

C'est une année où vous recherchez constamment de nouvelles expériences, mais votre soif d'action et de changement cache probablement une crainte de nouer des liens durables.

Vous aurez du mal à reconnaître le côté féminin de votre nature et à accepter la responsabilité du bien-être de quelqu'un d'autre. Vous éviterez les engagements au cours de cette année, car vous ne voulez pas vous sentir émotionnellement attaché.

Les autres admireront votre esprit d'entreprise et apprécieront le fait que vous ne fuyez pas les responsabilités, en particulier lorsque l'une de vos actions risquées ne fonctionne pas.

C'est une année au cours de laquelle vous deviendrez un combattant qui n'abandonne pas facilement et qui, si nécessaire, fera cavalier seul.

Votre côté affectif sera plus sensible que d'habitude et débordera de tendresse envers tous ceux qui vous entourent. En particulier, vos enfants (si vous en avez) bénéficieront de votre prédisposition particulière à les écouter et à être plus réceptif à leurs besoins, ainsi que plus aimant et plus compréhensif.

Comme vous appréciez plus que jamais le beau côté de la vie, vous pouvez utiliser cette disposition pour l'expression créative, les événements sociaux et les activités professionnelles. En outre, il est probable que vous entamiez une relation amoureuse ou que vous modifiiez votre relation actuelle en termes de forme et de sentiment.

Vous pouvez vous rendre plus souvent dans vos lieux de divertissement habituels.

Un membre de la famille peut également fournir un revenu ou un soutien financier.

Sur le plan de la santé, ce sera une période très propice aux rhumes et aux irritations ; il ne serait pas inutile de surveiller les voies respiratoires et les reins.

Pendant les périodes de rétrogradation de Mercure, réfléchissez aux choses ou aux personnes auxquelles vous voulez donner une seconde chance, plutôt que de commencer quelque chose de nouveau. S'il s'agit de quelque chose de nouveau, vous devrez peut-être le faire d'une manière non conventionnelle.

Vous rencontrerez des personnes d'orientation spirituelle qui façonneront votre personnalité. C'est une bonne période pour votre éveil spirituel.

Si vous n'avez pas de partenaire, rappelez-vous que les occasions ne se répètent pas. Si quelqu'un vous intéresse, vous devez l'aborder et lui dire ce que vous ressentez sans y réfléchir à deux fois. Ce petit acte de courage fera toute la différence, le début d'une histoire d'amour.

Amour

Ce thème pourrait être très présent en 2024. Toutes les belles choses que vous désirez en amour pourraient être possibles après le mois de mai.

Une désintoxication planétaire est en cours dans votre vie amoureuse et dans votre vie en général. Cela n'a pas été une expérience agréable. Toutes les expériences amoureuses que vous avez vécues sont de nature détoxifiante.

Cette année, vous ferez un pas en avant dans votre vie amoureuse et donnerez une nouvelle force à votre relation. Votre relation sera plus forte qu'auparavant et la confiance mutuelle entre vous deux augmentera.

Au cours de cette année, vous comprendrez les sentiments de votre partenaire et accorderez de l'importance à ses opinions. N'essayez pas d'imposer vos idées, sinon des tensions pourraient survenir dans votre vie amoureuse.

Vous devrez peut-être faire face à des ragots inutiles, alors soyez très discret sur votre vie privée.

Il y aura des moments où vous voudrez rompre avec votre partenaire. Cela peut être contrôlé ou évité si vous vous occupez des choses importantes dans votre vie amoureuse.

Les célibataires auront de nombreuses occasions de nouer des relations amoureuses au cours des trois premiers mois de l'année. Au cours du deuxième trimestre, les relations seront éphémères.

Vous arrivez progressivement au terme d'une lente transformation. Vous devez continuer à avancer lentement mais sûrement. Vous devez agir plus sérieusement dans vos relations, ce qui ne veut pas dire que vous devez mettre le plaisir de côté.

Vous devez faire plus d'efforts dans votre relation, car vous vivez pratiquement une vie de célibataire, tout en bénéficiant des avantages d'un couple. Vous devez apprendre à prendre des décisions avec votre partenaire.

À partir du mois de mars, vous pouvez vous sentir un peu inquiet, mais il n'y a rien qui ne puisse être résolu par une escapade en famille.

Pendant les périodes de Pleine Lune, vous prendrez l'amour plus au sérieux et tenterez de vous rapprocher des personnes avec lesquelles vous avez un lien fort.

Vous vivrez quelques mois d'incertitude. Vous commencerez une relation qui, au début, ne sera basée que sur le sexe, puis vous vous impliquerez émotionnellement et vous avouerez que vous tombez amoureux.

Au cours de cette année, vos relations personnelles sont au centre de l'attention. Vous avez besoin d'entrer en contact avec les gens et vous vous préoccupez de l'impression qu'ils ont de vous. C'est le moment d'examiner votre comportement envers les autres, en particulier votre partenaire, et d'envisager d'éventuels ajustements et corrections.

Plus que jamais, vous pouvez réaliser que vous avez besoin de la coopération des autres pour atteindre vos objectifs et que le meilleur moyen de donner un sens à votre vie, à votre individualité et à votre pouvoir réside dans les partenariats et les relations.

La participation à des activités communes soulève des questions qui vous permettront de mieux définir qui vous êtes.

Votre identité sera façonnée et cimentée par les hauts et les bas et les complications que vous rencontrerez en tentant d'établir des partenariats vitaux et sincères.

L'économie

Cette année apporte beaucoup d'énergie positive dans les négociations que vous menez, en particulier dans les situations où vous devez discuter de questions importantes.

Il se peut que vous occupiez un nouveau poste qui vous permette de mettre en valeur votre talent. Si vous avez une présence sur les médias sociaux, veillez à la mettre à jour.

Ne perdez pas de temps et planifiez l'avenir. Si vous avez votre propre entreprise, il est temps de sortir de la routine.

Si vous êtes au chômage et à la recherche d'un emploi, la chance vous sourira, surtout si vous avez de l'expérience ou des compétences spécifiques.

L'activité indépendante vous permet de gagner beaucoup d'argent, ce qui pourrait vous être bénéfique à l'avenir. Si vous êtes indépendant, vous obtiendrez également des résultats spectaculaires.

Au cours de l'année, vous rencontrerez quelques difficultés financières, mais seulement mineures. Ceux qui souhaitent exploiter davantage leurs talents pourront le faire. Si vous n'avez pas besoin de dépenser beaucoup, ne le faites pas, et il ne sera pas opportun de contracter un prêt. Vous devez commencer à épargner beaucoup plus, car c'est une année difficile.

L'art de gagner de l'argent consiste avant tout à saisir les opportunités. Vous devez cesser toute activité dénuée de sens, non planifiée et non ordonnée et planifier une meilleure stratégie pour gagner de l'argent. Si vous ne définissez pas vos objectifs, vous ne réussirez pas.

Au cours de l'année 2023, vous avez appris de nombreuses leçons en matière de finances. Cette année, grâce à ces connaissances, lorsque vous devrez prendre une décision, vous mettrez de côté l'impulsivité et aurez recours à la patience et à la tolérance. Toutes les transactions commerciales seront profitables.

Vous recevrez des offres qui vous permettront de choisir entre plusieurs options avantageuses pour évoluer dans votre domaine professionnel. Vous devez analyser soigneusement tous les détails afin que votre décision finale soit celle qui vous sera la plus profitable.

Ne laissez pas vos erreurs s'accumuler sans être remarquées à cause de votre passivité excessive, car si cela se produit, la situation pourrait devenir critique.

C'est l'année où il faut se réveiller et agir. Toutes les décisions que vous devez prendre sont à votre portée.

Vous avez la possibilité de changer votre avenir, laissez libre cours à votre imagination. Vous devriez commencer à concevoir des projets qui peuvent générer des revenus supplémentaires et une nouvelle façon de travailler.

Les périodes rétrogrades de Mercure auront un impact sur votre domaine professionnel. Cela peut signifier que si vous n'aimez pas ce que vous faites, vous changerez de métier. Le moment où vous ressentirez le plus cette énergie est celui où l'éclipse solaire du 8 avril se produira dans votre sphère professionnelle.

Famille

Il s'agit d'un domaine important pour vous. En général, il indique un déménagement vers une maison plus grande et plus spacieuse ou la rénovation de celle que vous possédez.

Une grossesse ne serait pas une surprise, surtout si vous essayez.

Votre compassion naturelle se manifestera par des actions destinées aux personnes de votre entourage qui se sont égarées et qui ont besoin d'aide.

Dans une position plus sympathique, vous vous efforcerez de remplir votre rôle familial, mais vous le ferez sans juger, avec un esprit plus ouvert, ce qui amènera vos proches à vous admirer et à vous demander votre avis pour résoudre les problèmes familiaux.

Au milieu de l'année, votre énergie vitale et votre volonté semblent être en conflit avec votre côté émotionnel, et vous pouvez avoir l'impression que les circonstances sont contre vous, car vous ressentez un manque de soutien et d'affection de la part de votre entourage. Vous pouvez également avoir des échanges tendus avec un être cher. Mais ne vous inquiétez pas, cela passera rapidement sans conséquences importantes. La patience et la souplesse vous aideront.

Cancer Santé

N'oubliez pas que le problème de santé le plus fréquent en début d'année est le stress. Le fait de devoir faire face à toutes les dettes que nous avons contractées en raison des dépenses de fin d'année peut être accablant. C'est pourquoi il est important d'être réaliste et patient.

C'est le moment idéal pour essayer des choses comme la méditation et l'amélioration de la qualité du sommeil, qui apporteront de nombreux avantages à votre santé mentale.

N'oubliez pas de penser positivement et d'être optimiste, car les émotions positives améliorent le flux d'énergie.

Vous risquez de souffrir d'allergies cette année. Veillez à modifier sainement votre régime alimentaire. Vous devriez compléter votre alimentation par des suppléments ou des vitamines pour renforcer votre système immunitaire.

En général, les problèmes de santé peuvent être liés aux nerfs, à une inquiétude excessive et à un manque de repos.

Vous pourriez ressentir le besoin de mettre de l'ordre dans vos habitudes et de devenir plus sérieux. Profitez de cette année pour faire quelque chose pour votre santé en pratiquant du sport, en mangeant sainement et en effectuant des exercices de yoga.

Dates importantes

- ***17/06 Vénus entre en Cancer.*** *Pendant ce transit, votre désir de sécurité et de stabilité émotionnelle augmente. Vous pouvez exprimer votre amour et votre affection par des actes de gentillesse, en recherchant le confort dans des environnements sûrs. C'est le moment de renforcer les liens dans les relations existantes* *et d'explorer les expériences émotionnelles partagées.*

- ***17/06 Mercure entre en Cancer.*** *Ce transit indique des changements inattendus au travail. On vous demandera de prendre des mesures pratiques pour progresser personnellement, pour équilibrer vos revenus et pour maintenir la fluidité de vos relations personnelles.*

  Votre domaine professionnel fluctuera avec des effets négatifs, car vous ne pourrez pas profiter de toutes les opportunités en raison d'un changement soudain d'emploi.

- ***06/20 Le Soleil entre dans le Cancer***

- ***05/07 Nouvelle Lune en Cancer.*** *Les nouvelles lunes sont traditionnellement des périodes de nouveaux départs. Ce qui commence peut-être au centre des six prochains mois de votre vie.*

  - ***Du 4/9 au 3/11, Mars transite en Cancer.*** *La planète Mars dans votre signe apporte généralement beaucoup d'énergie et d'élan pour de nouveaux commencements et projets. Cela peut vous aider à vous lancer dans un nouveau projet que vous entreprendrez au cours des deux prochaines années de votre vie.*

Lion

Symbolisé par le lion, ce signe ne se laisse pas oublier. Si son caractère est joyeux, il a aussi une dureté féroce qui accompagne ses hurlements.

Tout ce que fait le Lion est tragique et lorsqu'il se met en colère, il vaut mieux ne pas se mettre en travers de son chemin. C'est un signe fixe, très ferme dans ses idées, constant dans ses objectifs et obstiné dans ses actions.

Le Lion est un complice assidu qui met du cœur à l'ouvrage dans chaque relation. Bien sûr, il peut aussi être incroyablement intransigeant, mais son entêtement est toujours le reflet de son honnêteté.

Le Lion est inspiré par le drame, mais il est aussi profondément sensible. Le Lion est sans doute le plus émotif de tous les signes de feu et se blesse facilement ; votre partenaire devra donc savoir prendre soin de ce tendre spécimen.

La loyauté est très importante pour le Lion, aussi lorsque vous entrez dans son domaine, il exigera de vous un amour absolu.

Lorsque ce signe se sent blessé, il est préférable de ne pas lui prodiguer de conseils : le Lion cherche un soulagement, pas des rappels, et vous vous sentirez donc trahi par votre partenaire si vous commencez à donner votre avis sur n'importe quelle situation.

Le Lion vous poussera à bout parce qu'il aime être testé, il sait depuis l'enfance qu'il est un roi zodiacal, et même le Lion le plus prudent aura une attitude royale.

Ce signe ne se lasse pas de recevoir des applaudissements. Les dîners opulents, les fêtes exclusives et les vêtements de marque leur donnent l'impression d'être aimés.
Lorsque vous le cherchez, gardez à l'esprit qu'il n'est pas facile de suivre la rime. Il est parfois difficile de trouver un signe aussi strict. Mais le jeu en vaut la chandelle.

Une fois que vous aurez réservé une place dans le cœur d'un Lion, vous ne voudrez certainement pas céder le trône. Le Lion ne se soucie pas que son partenaire ait un ego ; au contraire, il veut que son partenaire soit vaniteux et très sûr de lui.

Le Lion ne recherche pas un homme égocentrique, mais cette créature intrépide doit veiller à ce que son partenaire puisse porter la couronne avec dignité.

Le Lion apprécie le concept d'un partenaire comme une extension de lui-même. Comme ce signe de feu est connu pour son intrépidité dans tous les domaines, depuis les aventures créatives jusqu'à la romance à l'Hollywoodienne, il est important qu'il s'associe à quelqu'un qui sait exactement ce qu'il recherche.

En matière de sexualité, l'ardent Lion peut aussi briller au lit.

La plus grande excitation sexuelle du lion est de se sentir désirable. Il est envoûté par la séduction et l'affection doit se manifester par des rencontres ostentatoires et des expressions romantiques grandioses.

Ce signe hurle à l'idée d'être désiré, surtout lorsque ce désir ardent se traduit par un amour passionné.

Ce lion fougueux tombe toujours amoureux, il aime que ses amours soient à la hauteur de sa personnalité et rien ne le fait hurler plus fort qu'une adoration éhontée.

Ils ont besoin d'être au centre de l'attention et peuvent donc être séduits par des histoires d'amour dangereuses.
Il n'est pas facile pour Leo de résister aux compliments, il gravite donc autour des louanges.

Si le drame se termine prématurément et que le Lion est abandonné, l'histoire est différente. Au début, leur *réaction est généralement un choc et, après cette étape, ils éprouvent une angoisse dévastatrice, témoignant de leur désarroi.*

Même si les choses deviennent sérieuses, le lion est une créature invulnérable qui retrouvera le chemin de la lumière, car le lion est joyeux et sans peur, et refuse d'accepter l'échec.
Le Lion est toujours à la recherche d'un partenaire qui stimulera son esprit car, au fond de lui, il déteste l'ennui.

Horoscope général pour Lion

2024 apporte des énergies de seconde chance pour les léonins, alors réfléchissez à ce que cela pourrait signifier pour vous.

Il pourrait y avoir de grands changements dans vos relations, dans la façon dont vous les abordez et les gérez, dans les personnes que vous attirez et dans ce que vous voulez et ce dont vous avez besoin dans vos relations personnelles.

Les éclipses lunaires vous amènent à vous concentrer sur ce que vous devez transformer pour améliorer vos relations. Il se peut que vous deviez faire face à quelque chose que vous avez fui pendant un certain temps, ce qui peut être bouleversant, mais en fin de compte, cela vous aidera à aller de l'avant.

Vous pouvez vous sentir plus ambitieux et aspirer au succès. Vous atteindrez un type de succès prévu depuis des années.

Vous vous sentirez enthousiaste dans votre travail et si vous n'êtes pas passionné, vous pouvez vous concentrer sur la recherche d'un nouvel emploi cette année.

Les nouvelles lunes vous donneront l'occasion de chercher un nouvel emploi, si c'est ce que vous voulez, *et vous pourrez commencer de nouveaux projets et vous concentrer sur ce qui vous passionne.*

Il se peut que vous deviez procéder à des changements importants, mais vous devez le faire intelligemment. Si vous aimez ce que vous faites, vous pouvez faire de grands progrès et réussir. Des opportunités peuvent se présenter qui vous aideront à investir et vous trouverez des moyens créatifs pour vous sentir plus en sécurité dans la façon dont vous investissez votre argent.

Vous devez protéger votre santé, n'essayez pas de tout faire en même temps. Traitez les problèmes au fur et à mesure qu'ils se présentent.

Les périodes où les défis sont les plus importants sont le début de l'année et les mois d'été.

Amour

Pluton se trouve dans votre zone d'amour depuis plus d'une décennie ; par conséquent, vous êtes devenu plus sérieux et plus intense à propos de l'amour et vous le prenez beaucoup plus au sérieux. Ce qu'est l'amour et ce qu'il signifie pour vous a subi une transformation, mais vous vous sentez maintenant plus en phase avec ce qui est vrai pour vous. Vous savez ce que vous voulez et ce dont vous avez besoin dans une relation et, si vous êtes engagé, vous êtes prêt à le donner.

Pendant les périodes de rétrogradation de Mercure, les problèmes dans les relations amoureuses augmenteront, ce qui peut vous faire sentir frustré et impatient avec les autres, mais vous devez travailler sur tous ces problèmes et vous améliorer.

Cette année pourrait être une bonne période pour raviver les flammes d'une relation existante ou pour renouer avec un ancien amour, d'autant plus que les nouvelles lunes peuvent en offrir l'occasion. Dans tous les cas, vous devriez essayer de cultiver vos liens avec les autres et de leur apporter votre soutien.

Saturne et Neptune seront dans votre secteur de l'intimité tout au long de l'année, il est donc important que vous ayez un lien spirituel avec vos proches. Vous ferez preuve de plus d'assurance et de réalisme dans la gestion de vos liens affectifs avec les autres.

Vous pouvez vous concentrer sur les anciens problèmes et traumatismes qui ont entravé ces liens de manière saine et tirer des leçons du passé qui vous aideront à nouer de meilleurs liens à l'avenir.

Pour certains Lion, l'amour peut conduire au mariage. Si vous êtes un Lion célibataire, préparez-vous à trouver le grand amour. Mais attention, vous ne devez pas faire confiance à tout le monde, car certains pourraient essayer de profiter de votre gentillesse.

Les Léonard mariés verront le bonheur et l'épanouissement de leur famille. Pour rendre votre partenaire heureux, concentrez-vous sur son bien-être. Cette année, vous ferez d'incroyables souvenirs avec votre partenaire. Votre amour se renforcera et atteindra de nouveaux horizons.

Des malentendus peuvent survenir de temps à autre. Dans les moments difficiles, il est donc important de faire preuve de patience. N'oubliez pas de respecter les décisions de votre partenaire et de ne pas lui imposer vos opinions. Avec de la patience, vous parviendrez à maintenir une relation forte et heureuse.

Certaines Léonines pourraient redécouvrir un amour du passé, alors gardez le cœur ouvert. Vous pouvez dissiper de vieux malentendus et profiter de l'amour.

Vous profiterez de chaque instant et vos relations familiales seront renforcées par l'amour et la compréhension.

L'économie

Uranus rejoint Jupiter jusqu'au 25 mai dans votre secteur monétaire. Cette combinaison est fabuleuse pour faire des découvertes soudaines et connaître le succès d'une manière rapide, inattendue et non conventionnelle. Vous serez en mesure d'aborder vos objectifs et vos projets à long terme d'une nouvelle manière, ce qui vous ouvrira d'autres portes.

L'année 2024 sera un mélange de gains et de pertes. Votre travail acharné vous rapportera de l'argent, mais des problèmes familiaux ou autres entraîneront une instabilité financière. Essayez d'épargner pour faire face aux situations difficiles. Des dépenses judicieuses peuvent vous éviter quelques maux de tête.

Le premier semestre sera un mélange de bons et de mauvais moments, car les dépenses augmenteront, mais vous gagnerez aussi plus d'argent. Si vous ne contrôlez pas vos dépenses, vous risquez d'avoir des problèmes financiers.

Cependant, grâce à Jupiter, si vous vous y mettez, vous pourrez économiser de l'argent car les ressources proviendront de diverses sources et vous pourrez acheter une maison si c'est ce que vous voulez.

Si vous n'avez pas d'assurance maladie, le coût des soins de santé peut avoir une incidence sur vos finances. C'est pourquoi vous devez maîtriser vos *dépenses et gérer intelligemment votre argent. N'oubliez pas de prendre des décisions financières raisonnables.*

Famille

Vous vous concentrerez sur les questions domestiques et familiales. Vous travaillerez à l'achèvement de projets à la maison, ce qui vous aidera à vous sentir plus à l'aise, plus stable et plus sûr sur le plan émotionnel.

Pendant les périodes de pleine lune, des problèmes familiaux peuvent survenir, qu'il est important d'aborder et de résoudre.

L'environnement familial sera généralement très calme et harmonieux cette année. Les problèmes qui surviennent seront résolus à l'amiable. Les membres adultes de la famille pourraient avoir des problèmes de santé nécessitant des soins médicaux.

Les engagements professionnels peuvent vous éloigner de la famille, mais les célébrations et l'arrivée de nouveaux membres ne manqueront pas.

Des désaccords occasionnels peuvent survenir avec votre partenaire en raison de désaccords familiaux. Soyez très prudent dans vos relations avec vos frères et sœurs, car ils pourraient avoir des problèmes juridiques liés à des héritages ou à des legs. N'agissez pas de manière irréfléchie.

Si vous étiez célibataire, vous pourriez peut-être établir une relation stable, mais en général, il existe de nombreuses possibilités d'améliorer vos relations amoureuses.

La santé du lion

Cette année, vous jouirez d'une excellente santé. Vous vous sentirez énergique, heureux et fort, à la fois dans votre corps, votre esprit et votre âme. Il est important d'être fort mentalement et, heureusement, vous commencerez l'année avec un état d'esprit solide.

Se sentir en bonne santé vous aidera à réussir dans votre travail.

Vous serez en bonne santé et ne souffrirez pas de maladies. Si vous avez des problèmes de santé chroniques, c'est peut-être l'année où vous pourrez les surmonter.

Pour rester en bonne santé, essayez d'intégrer la méditation et l'exercice physique à votre routine quotidienne. N'oubliez pas qu'il est essentiel de garder l'esprit calme et sans stress pour rester en bonne santé.

Le repos est important pour la santé, il faut boire beaucoup d'eau et s'exposer au soleil pour obtenir de la vitamine D.

Les lions adultes peuvent ressentir des douleurs dans les genoux ou les articulations, en particulier pendant l'hiver.

Changez vos habitudes alimentaires pour améliorer votre santé. Méfiez-vous des accidents et des blessures, en particulier lorsque vous conduisez ou que vous pratiquez du sport.

Dates importantes

25 mars *- Éclipse lunaire en Lion (pleine lune)*

Cette éclipse mettra fin aux attitudes qui vous blessent. Vous devriez essayer de fixer des limites aux personnes qui croisent votre chemin. Vous pouvez mettre fin à une relation toxique, et c'est mieux ainsi.

2 juillet *- Mercure entre dans le Lion.*

11 juillet *- Vénus entre dans le Lion. Ce transit aura un impact sur vos relations amoureuses et sur la façon dont vous vous comportez avec les autres. Vous pourriez également devenir plus dramatique et exigeant dans vos relations, alors soyez très prudent.*

22 juillet - *Le Soleil entre dans le Lion. Heureux retour du Soleil.*

08/04/2024 Nouvelle Lune en Lion. *Pendant cette période, vous serez enthousiaste, énergique et prêt à agir. Des opportunités peuvent se présenter. Vous devez prendre l'initiative, aller chercher ce que vous voulez et faire bouger les choses. Cette Nouvelle Lune précède de quelques jours la rétrogradation de Mercure dans votre signe ; il se peut donc que vous vous concentriez davantage sur une deuxième occasion.*

Du 14/08/2024 au 28/08/2024, Mercure rétrograde en Lion *(après avoir commencé en Vierge). Cela peut entraîner de nombreux malentendus, un manque de concentration et le sentiment que de petites choses surgissent toujours et demandent votre attention. Vous pouvez vous sentir dispersé, anxieux et stressé. Essayez d'adopter des stratégies saines de gestion du stress avant le début de la rétrogradation afin de pouvoir le gérer facilement.*

4 novembre - *Mars entre dans le Lion. Mars dans votre signe est traditionnellement une période de grande énergie et d'enthousiasme pour les nouveaux départs et les affaires. Vous serez enthousiaste face aux opportunités qui se présenteront à vous. Profitez de cette période car Mars sera rétrograde à partir du 6 décembre dans votre signe et terminera l'année rétrograde en Lion. Cela peut amplifier vos frustrations et vos contrariétés, ce qui peut facilement* *vous irriter et vous mettre en colère. Il peut en résulter des incidents mineurs.*

18 novembre 19- *Pluie de météores des Léonides dans le Lion. Les météores représentent des moments de transition. C'est une excellente occasion de montrer au monde comment vous voulez être perçu. Vous pourriez planifier un voyage ou raviver d'anciennes amitiés.*

Vierge

La Vierge est un signe de terre représenté par la déesse de l'agriculture. La Vierge est habile et méthodique, méticuleuse et cherche à se perfectionner, ce qui en fait l'un des meilleurs partenaires du zodiaque. La Vierge est un érudit et les mots et idées inspirants sont aphrodisiaques pour ce signe de terre.

La Vierge a tendance à être une lectrice vorace, une cinéphile ou une mélomane. Signe changeant, elle est également ouverte d'esprit, ce qui se traduit souvent par des goûts raffinés.

La Vierge apprécie l'art dans de nombreuses catégories et aime se tenir au courant des nouveaux auteurs. La Vierge s'appuie sur la logique et l'organisation lorsqu'il s'agit d'affaires de cœur, et ce signe capricieux recherche un partenaire qui s'adapte à sa vie quotidienne.

La Vierge utilise une base de données pour créer une représentation complète de son partenaire ; toutes les personnes de sa vie et leurs habitudes sont accumulées dans un registre mental, avec leurs goûts et leurs dégoûts. La Vierge aime aider par son soutien et son sens pratique, et ce signe de terre s'obstine toujours à proposer des solutions réalistes aux conflits.

Le désir d'excellence de la Vierge peut affecter ceux qui l'entourent, et leurs analyses vont de la réflexion et de la subtilité à l'excès de critique.

Pour maintenir des relations saines, les Vierges ne doivent pas juger et doivent permettre à leurs proches de se remettre à leur place.

Une chose très importante que les Vierges doivent garder à l'esprit est que la recherche constante de la perfection peut être destructrice.

En matière de sexualité, ce signe a une énergie vive, mais il est naïf. Dirigée par Mercure, leur sexualité est de nature curieuse ; ils analysent presque tous les aspects du sexe, y compris le physique de leur partenaire.

Il y a toujours de la beauté dans les défauts, il est donc important que la Vierge reconnaisse que ce qui est un défaut peut être plus utile qu'un défaut.

Ce signe intellectuel est très enthousiaste à l'égard de l'humour et des conversations intelligentes. En théorie, la Vierge ferait un fantastique romancier, mais si votre amant n'est pas Nicholas Sparks ou Corin Tellado, il risque de le montrer sous une forme abrégée. La Vierge n'est pas Nicholas Sparks ou Corin Tellado, il est probable qu'elle le montrera sous une forme abrégée.

Ne soyez pas surpris si votre amant. La Vierge est plutôt fermée dans la chambre à coucher, du moins au début.

La Vierge est une personne routinière ; tant qu'elle n'est pas capable de développer un dialogue, elle sera un spectateur affectueux et très attentif à ce qui se passe au lit.

Cela ne veut pas dire qu'elle n'est pas dépravée ; au contraire, la Vierge aime être passionnée dans la chambre à coucher. Dans un environnement sûr, la Vierge voudra avoir des relations sexuelles régulières qui lui permettent d'explorer tous ses penchants. Mais ne tentez rien brusquement : les changements soudains de mouvements ou de rôles vous désorienteraient.

La Vierge aime se rendre utile et utiliser ses compétences chaque fois qu'elle le peut ; elle a donc tendance à être une éponge pour les problèmes des autres. La meilleure façon de lutter contre cela est de garder les choses simples.

Bien que votre partenaire Vierge soit passionné, n'en faites pas le chien de garde de toutes vos mésaventures. Si vous déversez tout votre stress sur la Vierge, elle se sentira dépassée. Envisagez de vous tourner vers des amis pour résoudre vos frustrations.

Pour avoir une relation durable avec une Vierge, il est important de savoir qu'elle sera fiable, mais qu'elle devra aussi vous faire confiance, surtout lorsque vous avez tort.

Ne critiquez pas la Vierge, cela peut paraître ironique, mais la Vierge déteste être pointée du doigt pour son comportement. Cela l'incitera à vous demander de l'aide, ce qui renforcera la relation.

Comme la Vierge s'efforce d'atteindre un idéal impossible en amour, lorsque l'utopie de la perfection se dissout, la Vierge abandonne complètement la relation, sans en informer le partenaire.

Elles ne veulent pas être indécentes, mais elles détestent décevoir les gens et voudront donc quitter la relation sans avoir une discussion difficile. En d'autres termes, les Vierges aiment disparaître sans laisser de traces.

Si vous parvenez à contacter votre partenaire vierge avant qu'elle ne se jette dans d'autres bras, elle s'excusera et tentera d'apaiser les tensions en prenant tout le fardeau à sa charge.

Lorsque la rupture survient par surprise, la personne s'efforce d'oublier, en retravaillant mentalement tous les détails de la relation pour tenter de découvrir le moment clé où les choses ont pris un virage à 180 degrés.

La Vierge n'est pas toujours noire ou blanche, au contraire, c'est une créature très complexe et si elle trouve suffisamment d'informations pour conclure que sa relation actuelle est défectueuse, elle est prête à chercher ailleurs une relation satisfaisante.

Horoscope général pour Vierge

Vierge, cette année sera riche en opportunités dans tous les domaines de votre vie. Bien sûr, vous devrez aussi relever des défis qui peuvent influencer de manière significative votre carrière et vos relations.

Il est conseillé de poursuivre vos objectifs et de maintenir un équilibre en toutes choses, car vous devrez probablement reporter certains projets. Certains revers peuvent survenir en raison de votre manque d'énergie ; il convient donc de contrôler vos émotions et d'éliminer les pensées négatives.

Si vous vous concentrez, vous pouvez résoudre tous vos problèmes en douceur et réussir. Pour cela, vous devez éliminer l'indécision et vous libérer des visions dépassées.

A certaines périodes de l'année, vous serez obligé de recourir à des astuces diplomatiques pour éviter les conflits avec les autres, surtout dans le milieu professionnel.

Les vacances seront très utiles pour les couples, car elles leur rappelleront les premiers moments de leur relation. Les couples ne doivent pas oublier de trouver le temps de communiquer.

Pour les célibataires, tout est possible : un coup de foudre passager pour une personne rencontrée sur les médias sociaux, une relation sérieuse avec un collègue de travail ou une rencontre amoureuse avec une personne rencontrée sur un marché.

Vous aurez quelques problèmes familiaux, mais ils seront tous résolus avec succès.

Au travail, vous devez essayer de proposer vos propres solutions aux problèmes et accepter toute responsabilité supplémentaire.

Les finances seront stables, bien qu'à certains moments, surtout au milieu de l'année, il est probable qu'il y ait des baisses de revenus ou des retards de paiement. Dans ces phases, il est conseillé de refuser des prêts et de ne pas prêter d'argent.

Lors d'un investissement, il est bon d'écouter les conseils de personnes plus expérimentées que vous.

Votre famille sabotera votre économie, vous devez donc être très organisé avec vos finances. Il est important de faire la paix avec vos proches, car vous pourriez avoir besoin de leur aide à des moments inattendus.

Votre état de santé général sera bon, mais vous devrez vous prémunir contre les maladies infectieuses et les épidémies. N'oubliez pas de consulter votre médecin pour éviter d'éventuelles maladies chroniques.

Il faut veiller à protéger la peau et les yeux des effets nocifs des ordinateurs et des téléphones portables.

Certains mois, des symptômes d'épuisement émotionnel ou de dépression peuvent apparaître et le moyen de les contrer est d'être plus souvent dans la nature. En outre, l'exercice physique et la méditation auront un effet bénéfique sur votre santé.

En général, l'année sera prospère, malgré tous les changements et les événements imprévisibles. Il faut éviter les actions impulsives, faire preuve de patience dans les situations d'incertitude et, surtout, profiter des circonstances favorables.

Il est important de suivre son intuition, surtout dans les relations. Prenez vos propres décisions, mais ne soyez pas non plus pressé, car vous pourriez vous tromper.

Amour

En 2024, vous aurez l'occasion d'ouvrir votre cœur et de faire entrer un nouvel amour dans votre vie, car vous vous sentirez plus optimiste à l'égard de l'amour. Ce pourrait être une bonne année pour la romance, que vous soyez célibataire ou marié.

Vous recevrez de nombreuses leçons d'amour, rappelez-vous combien vous donnez et combien vous recevez.

Au milieu de l'année, les luttes et les problèmes peuvent devenir très évidents. Il est important de résoudre les problèmes et d'avoir un amour sain et encourageant dans votre vie. Vous aurez le temps de résoudre les problèmes, surtout pendant la période de la nouvelle lune.

Pendant les périodes de rétrogradation de Mercure, de vieilles blessures peuvent se mettre en travers de votre vie et il est important de les régler.

Votre vie amoureuse et votre mariage nécessiteront des efforts et un engagement constants. Avec l'aide des astres, vous parviendrez à un bon équilibre entre émotion et romantisme. Certaines Vierges prendront au cours de l'année des décisions importantes qui changeront leur vie sur le plan amoureux ou conjugal.

L'économie

Cette année, vous serez en mesure de réaliser vos projets à long terme et votre travail acharné et intelligent portera ses fruits. Vous obtiendrez une certaine reconnaissance et nouerez des contacts avec des personnes importantes. Cela peut impliquer davantage de responsabilités, mais vous êtes capable de les assumer.

Pendant les périodes de Nouvelle Lune, des opportunités peuvent se présenter et vous aurez beaucoup de succès. Vous devez être enthousiaste à propos de vos objectifs et vous concentrer sur ce que vous voulez réaliser.

Vous aurez beaucoup d'énergie pour réussir, car vous serez plus ambitieux et plus concentré. C'est en effet une excellente année pour le succès, alors commencez à travailler sur vos plans et soyez intelligent dans vos choix afin de ne pas manquer une seule opportunité.

 Concentrez-vous sur ce qui vous passionne, rassemblez les informations nécessaires et faites-le de la bonne manière et pour les bonnes raisons.

Pendant les périodes de pleine lune, vous atteindrez de nouveaux sommets et maintiendrez votre élan. Vous devriez vous sentir à l'aise avec le chemin que vous avez parcouru en si peu de temps et vous rappeler que *vous le méritez après tous les efforts et les épreuves auxquels vous avez dû faire face.*

Si vous n'aimez pas votre travail, vous pouvez en changer. Vous devez essayer de vous concentrer sur le travail que vous aimez, afin de pouvoir vous lancer en toute confiance vers de nouveaux horizons.

Vous recevrez des récompenses financières ou de nouvelles ressources qui vous faciliteront la vie.

Les éclipses lunaires peuvent aider à résoudre des problèmes financiers, à finaliser des accords financiers et à se libérer de vieux schémas financiers.

Si vous avez des traumatismes liés à l'argent, il est temps de comprendre et de vous débarrasser de toute cette énergie pour aller de l'avant. L'argent ne rend pas les gens mauvais, ce sont les gens qui rendent l'argent mauvais.

Les éclipses solaires vous apportent de grandes opportunités financières et vous n'aurez pas de problèmes d'argent. Vous avez de bonnes chances de réussir professionnellement et de connaître l'abondance matérielle.

Votre travail acharné et vos performances constantes au cours des derniers mois de 2023 porteront leurs fruits en 2024. N'oubliez pas de vous tenir au courant des technologies qui contribueront à votre croissance.

Prévoyez d'investir dans l'immobilier lorsque vos finances seront en ordre. Tout au long de l'année, les planètes vous seront favorables si vous travaillez dur. Vierge, essayez de ne pas vous reposer sur vos lauriers et continuez à travailler dur, en investissant du temps et de l'énergie pour avoir un avenir radieux.

Famille

Le secteur de la maison et de la famille au début de l'année 2024 sera en ébullition, mais cela ne durera pas longtemps. Il y aura des problèmes, mais vous pourrez les résoudre rapidement.

Vous prévoyez peut-être un déménagement ou des travaux de rénovation, et vous devrez certainement assumer davantage de responsabilités familiales. Pendant les périodes de Pleine Lune, vous serez en mesure d'apporter des modifications à votre maison et de résoudre des problèmes en famille.

Si vous souhaitez obtenir davantage de soutien de la part de vos proches, vous devriez renforcer vos relations avec votre famille ou ceux que vous considérez comme tels, c'est-à-dire vos amis les plus proches.

Pendant les périodes de rétrogradation de Mercure, des problèmes non résolus avec votre famille feront surface. Vous vous sentirez mal à l'aise sur le plan émotionnel.

Il peut arriver que la santé des membres de votre famille soit compromise, de même que les finances de votre ménage. Dans ces moments-là, vous aurez beaucoup de soucis à vous faire.

Santé de la vierge

L'année 2024 vous apporte une bonne santé et aucun souci majeur, mais cela ne veut pas dire que vous devez être prudent. Vous aurez beaucoup d'énergie si vous suivez un bon régime physique, une alimentation équilibrée et si vous vous soumettez à des contrôles médicaux réguliers.

Au milieu de l'année, vous aurez quelques problèmes de santé mentale dus au stress, alors essayez d'être optimiste. Essayez de méditer et de faire de l'exercice, du moins essayez de marcher plus souvent. Ne passez pas vos journées assis ou allongé à regarder des séries sur Netflix.

Vous devez faire très attention à ce que vous mangez et buvez, car vous pouvez avoir des carences en certaines vitamines.

Prenez soin de vos muscles dorsaux et faites attention à l'intoxication par les boissons ; en cas de problème, vous devrez peut-être être hospitalisé.

Dates importantes

24/02- Pleine Lune en Vierge. *C'est généralement une période d'émotions intenses et vous pouvez voir les résultats de ce que vous avez fait jusqu'à présent. Vous pouvez être sensible et plus concentré sur vous-même. Essayez de faire une pause.*

25/7- Mercure entre en Vierge

8/ 5- Vénus entre en Vierge.

8/5 - Mercure entame sa rétrogradation en Vierge. *Essayez d'être gentil avec vous-même, n'exigez pas la perfection et prévoyez, avant le début de la rétrogradation, de régler les petites choses afin de ne pas avoir à vous en préoccuper pendant la rétrogradation. Cette période peut être propice aux secondes chances, alors concentrez-vous là-dessus.*

22/08- Le Soleil entre en Vierge.

9/ 03- Nouvelle Lune en Vierge. *Cette période est généralement propice à l'énergie, à l'enthousiasme et aux opportunités. Il peut y avoir de nouvelles opportunités qui vous excitent et vous pouvez vous concentrer sur ce que vous voulez faire pour vous-*

même. Vous pouvez prendre l'initiative dans tout ce que vous voulez et faire bouger les choses.

18/09- Eclipse lunaire partielle en Poissons, son signe opposé

Balance

La Balance est fascinée par l'harmonie et persévère à créer un équilibre dans tous les domaines de sa vie. En tant que signe d'air, elle conserve l'impartialité nécessaire pour être toujours juste grâce à sa profondeur d'esprit, ce qui en fait le signe le plus socialement expressif du zodiaque.

Séduisante et populaire parmi ses amis, la Balance vit le quotidien et est la véritable esthète du zodiaque. Vénus, la planète de l'amour, de la beauté et de l'argent, gouverne à la fois le Taureau et la Balance, mais l'analogie de la Balance avec Vénus est différente de celle du Taureau.

Le tempérament romantique de la Balance est totalement intellectuel, ce qui signifie qu'elle aime l'art et l'intellectualité. On peut trouver ce signe particulier en train de déguster du vin ou de faire l'éloge d'œuvres d'art modernes.

La Balance a besoin d'être entourée d'objets qui mettent en valeur ses intérêts fantastiques, pour lesquels elle est une excellente artiste.

Ne vous méprenez jamais sur les préférences de la Balance en pensant qu'elle est indifférente à ce qui se cache derrière la surface. La Balance se soucie de la justice et de la lutte au nom des autres pour ce qui est juste, et acceptera donc le rôle d'arbitre sage et équitable lorsque la situation l'exige.

La Balance ne sera jamais dominatrice et ostentatoire dans ses mœurs, et ce signe délicat peut résoudre les problèmes sans effort. La Balance symbolise le nous, les relations sont essentielles pour la Balance, qui trouve l'équilibre dans la relation ; par conséquent, la Balance doit faire attention à ne pas rechercher l'attention en dehors des termes convenus avec le partenaire.

La Balance veut que tout le monde soit satisfait et peut être tentée de dépasser les limites de la coquetterie.

Les Balance ne renonceront à rien pour être acceptées, même si cela doit mettre en péril leurs relations actuelles.

En tant que signe cardinal, la Balance est capable de créer des idées et de voir toutes les alternatives possibles dans une situation donnée.

Lorsque toutes les perspectives sont prises en considération, il a du mal à se décider, il a du mal à choisir parce qu'il est constamment en équilibre avec la Balance.

Ce signe d'air est motivé par les apparences physiques ; la vanité peut être une faiblesse pour la

Balance, qui peut trop se concentrer sur un partenaire qui correspond à ses désirs esthétiques.

Avoir du goût n'est pas une mauvaise chose, et le mot-clé de la Balance est la douceur, et les comportements abrupts ou oppressifs tels que l'envoi de SMS toutes les trois minutes, l'envoi de courriels à toute heure de la journée ou la tentative de mettre fin à la relation trop tôt, vous agacent.

La Balance recherche une relation élégante qui se développe progressivement. Elle et son partenaire doivent construire l'amour et la confiance étape par étape, en formant un lien basé sur un intérêt simultané pour les choses les plus exquises. Si vous voulez démarrer une histoire d'amour avec la Balance, pensez à vous rendre à l'inauguration d'une galerie d'art ou à un opéra classique.

La Balance aime être amoureuse, elle est souvent prête à se jeter dans la romance, elle est docile et délicate, et entre les soirées cravate, les sorties dans les amphithéâtres et les sorties spontanées au cinéma, les rencontres de la Balance peuvent ressembler à une liaison ou au scénario d'un film romantique.

Ce signe d'air séduisant sait comment surprendre, mais il y a aussi beaucoup de prévoyance dans ces manœuvres de rencontre exagérées.

Les Balance ont une vision très claire de ce qu'elles veulent, et il leur est facile d'essayer de modeler leur partenaire pour qu'il corresponde exactement à ces aspirations, au lieu de considérer que leurs désirs peuvent être différents.

Lorsqu'il s'engage dans une relation avec la Balance, il sait faire preuve d'élégance, et le meilleur moyen de savoir si la Balance est vraiment concentrée sur la relation n'est pas de faire des gestes romantiques élémentaires, mais de montrer subtilement son affection.

La Balance est obsédée par la conquête et, bien que l'intimité physique soit importante, ce signe a besoin de préliminaires mentaux qui conduisent à l'excitation lorsqu'il s'agit de sexe.

Certains signes peuvent être stimulés par des fantasmes de rencontres sexuelles directes, mais l'aristocratique Balance trouve ces rencontres passionnées trop prosaïques.

La Balance est allergique aux conflits ; à première vue, ce comportement pacifique est parfait, mais en réalité, il peut constituer le plus grand obstacle pour le partenaire car, pour ne pas le désillusionner, il a souvent recours à des mensonges et à des demi-vérités miséricordieuses.

Il est important de se rappeler que le but de la Balance n'est pas d'être manipulatrice, elle veut simplement que vous ne vous mettiez pas en colère contre elle.

En même temps, la Balance doit se rappeler que dans la vie, on ne peut pas être l'exemple à suivre et qu'il faut plaire à tout le monde, ce qui est un exploit impossible.

Dans les relations, il faut être honnête et les conflits sains offrent la possibilité de grandir, d'apprendre et de fixer des limites si nécessaire.

Le compromis est basé sur un dialogue honnête, et le fait d'exprimer votre désaccord empêchera également la Balance de devenir apathique et rancunière au fil du temps, de devenir angoissée et de provoquer une rupture.

La Balance n'ignore pas les ruptures. Ce signe est heureux lorsqu'il est en couple, mais il n'est pas étonnant qu'il entre et sorte constamment d'une relation. Dans leur monde courageux, les ruptures n'existent pas.

Les Balance gardent toujours leurs options ouvertes, même si elles sont dans une relation sérieuse.

Lorsque les Balance rompent avec leur partenaire, elles le font avec un langage charmant, parce qu'elles veulent toujours garder la porte ouverte et, si elles veulent rompre avec eux, elles feront tout pour l'éviter.

Les Balance sont très soucieuses de l'opinion qu'elles suscitent chez les autres et préfèrent conserver leur estime pour leur ex-partenaire plutôt que de le faire fuir définitivement.

La Balance est en phase avec le romantisme, mais se soucie de sa réputation.

Ce signe est remarquablement flexible et a la capacité d'exprimer les sentiments de son partenaire, c'est pourquoi il allumera des torches avec les signes de feu, formera des vagues gigantesques avec les signes d'eau, érigera des chaînes montagneuses avec les signes de terre et soutiendra des tourbillons efficaces avec les signes d'air, car le but de la Balance est de créer une vie équilibrée, sereine et harmonieuse avec son partenaire.

Horoscope général pour Balance

2024 ne sera pas aussi difficile que 2023, alors concentrez-vous sur les éclipses.

L'éclipse lunaire dans votre signe le 25 mars pourrait vous apporter une fin importante ou un succès. Vous pourriez arriver au bout de quelque chose d'important, ce qui vous donnera une grande vision de votre avenir.

Vous pouvez réussir ce sur quoi vous travaillez depuis un certain temps, vous pouvez croire en vous et en vos capacités. C'est la seule éclipse lunaire en Balance de cette série d'éclipses, l'énergie sera donc forte.

Le 2 octobre, une éclipse solaire en Balance se produit, avec laquelle vous pouvez vous concentrer sur un nouveau départ, saisir des opportunités et commencer une période complètement nouvelle dans votre vie. Cela peut être lié à l'éclipse solaire en Balance qui a eu lieu le 14 octobre 2023, et il s'agit d'une période complètement nouvelle dans votre vie. Concentrez-vous sur ce que vous voulez entreprendre et sur ce qui vous demande de l'audace, et allez de l'avant (intelligemment, bien sûr). Il s'agit de la dernière éclipse en Balance de cette série d'éclipses ; c'est donc la dernière injection d'énergie pour votre signe et vous pourriez vous sentir sous pression.

Au fil de l'année, vous récolterez les fruits de votre travail. Cette année vous apportera des contacts qui vous aideront à faire avancer votre carrière. Vous devez apprendre à accepter tous les changements et toutes les opportunités qui se présentent à vous.

Une meilleure compréhension des gens et de leurs opinions vous aidera tout au long de l'année. Il peut y avoir des jours sombres, mais ne perdez pas espoir, suivez vos rêves et poursuivez vos objectifs.
C'est une bonne année pour changer votre vision de la vie car, en général, presque tous les domaines seront bénis.

Avec les planètes en votre faveur, c'est une bonne année pour montrer vos compétences et vos talents au monde extérieur. Montrez au monde votre véritable force.
C'est l'une des meilleures années pour l'amour. Si vous êtes célibataire, il est possible que l'amour de votre vie vous demande en mariage pendant cette période, alors préparez-vous à vous marier et à vivre votre vie comme vous l'entendez. C'est la période où vous pouvez profiter d'une grande vie amoureuse.

C'est aussi une période de renouveau pour tous ceux qui sont mariés : au fil de l'année, les relations commencent à évoluer et à s'épanouir.

2024 sera une année riche en possibilités romantiques. Si vous êtes en couple, vous pouvez vous *attendre à des liens affectifs plus profonds et à une plus grande harmonie avec votre partenaire. Si vous êtes célibataire, ce pourrait être l'année où vous rencontrerez quelqu'un de spécial. Cette année, vous aurez de la chance : c'est le moment idéal pour planifier la naissance d'un enfant, si vous y avez pensé récemment.*

Cette année, vous recherchez une approche équilibrée entre l'émotion et le romantisme dans vos relations.

Votre parcours professionnel sera plein d'opportunités ; les planètes suggèrent que vous pourriez trouver de nouvelles offres d'emploi, des promotions ou des projets intéressants. Il est essentiel que vous restiez ouvert au changement, car cette année peut apporter des changements inattendus. Ne perdez pas de vue vos objectifs, ne désespérez pas car vous atteindrez progressivement vos objectifs financiers au fil de l'année.

C'est une année prometteuse pour les Libyens sur le plan financier et l'abondance est garantie.

Veillez à votre santé physique et mentale, car il est essentiel de maintenir l'équilibre. Incorporez des pratiques holistiques telles que la méditation et le yoga pour vous aider à rester calme et concentré.

Amour

Vous pouvez vous sentir submergé par tant de responsabilités, ce qui peut entraîner des conflits avec votre partenaire. Essayez de faire une pause et de vous distraire.

Il y aura des changements dans vos relations, ce que vous voulez et ce dont vous avez besoin, ce que vous donnez et qui vous attirez sera restructuré.
Vous pouvez prendre des engagements de manière rapide et inattendue, dans des circonstances inhabituelles ou avec des personnes peu conventionnelles.
Vous voudrez attirer l'attention cette année et cela créera des drames dans votre vie amoureuse.

Des énergies plus équilibrées entreront dans votre domaine amoureux pendant les nouvelles lunes, vous serez plus optimiste car ces lunes vous apportent une énergie magique qui est parfaite pour attirer d'autres personnes qui cherchent l'amour occasionnellement, mais qui ne sont pas désespérées de le trouver.

Votre aura sera très compétitive et vous ne craindrez pas de prendre des risques avec quelqu'un dont vous savez qu'il a déjà un partenaire. La prudence est de mise dans ce domaine.
Votre attitude risque de décevoir certaines personnes.

Pendant les périodes de pleine lune, vous pourrez renforcer vos engagements envers les autres si vous êtes dans une relation saine. Vous aurez également la possibilité de vous éloigner des autres si vous n'êtes pas dans une bonne relation ou s'ils sont toxiques.

Après juillet, vous commencerez à sortir et à rencontrer des gens intéressants, dont l'un en particulier attirera votre attention au point de vous donner envie d'avoir une relation.

Les célibataires peuvent être attirés par des personnes ayant une sensibilité particulière, comme les musiciens ou les poètes, ou ils peuvent trouver l'âme sœur dans un environnement spirituel.

L'économie

Vous devrez travailler dur pendant l'année pour en récolter les fruits. Après le 26 mai, Jupiter en Gémeaux aura un impact significatif sur votre profession ; par conséquent, si vous souhaitez changer d'emploi, ce sera possible. Le nouvel emploi sera meilleur que le précédent et aura un impact direct sur votre situation financière, la renforçant considérablement. Si vous avez votre propre entreprise, vous devriez donner la priorité à votre travail.

Votre concentration doit s'améliorer et l'approfondissement de ce que vous voulez faire vous aidera beaucoup. Il se peut que vous deviez d'abord apprendre des leçons sur le travail, ce qu'il représente pour vous, ce dont vous avez besoin pour mieux effectuer votre travail et ce que vous êtes prêt à donner.

Vous pourrez faire de bons investissements pour votre avenir financier et atteindre progressivement vos objectifs financiers, un par un. C'est une année prometteuse pour la Balance en termes de finances et qui vous garantit l'abondance et la croissance financière. Restez concentré et discipliné tout au long de l'année.

Cette année sera une année au cours de laquelle vous obtiendrez tout ce que vous vouliez en termes financiers, mais c'est un processus qui ne sera pas continu et il y aura des choses auxquelles vous devrez faire face.

Il est conseillé de contrôler son argent et de le gérer correctement en début d'année, afin de pouvoir progresser pendant le reste de l'année.

Dans le domaine de l'argent, il vous faut un cœur solide pour résister aux éclipses, gardez la foi car le résultat est bon. Vous serez au sommet du monde pendant un certain temps, puis au bas de l'échelle. Mais cette année, les mouvements planétaires indiquent une fin d'année prospère.

En bref, une période de grande prospérité s'ouvre et l'argent pleut sur vous.

Ils peuvent facilement gagner dans les investissements et les jeux de hasard. Ils peuvent également acheter une nouvelle voiture.

Famille

Le stress sera présent dans votre vie familiale cette année. Les disputes sont inévitables, Pluton dans ce secteur apportera de grands changements dans votre foyer et vous devrez résoudre vos problèmes d'enfance.

Vous pouvez profiter de cette année pour améliorer votre vie familiale et travailler à l'amélioration de vos liens avec votre famille ou ceux que vous considérez comme tels.

Il est donc important de mettre l'accent sur les soins et le soutien, de s'efforcer de faire de votre maison un lieu accueillant et de s'efforcer de créer des liens familiaux.
Votre maison va se métamorphoser. Votre maison et votre bien-être seront une priorité pour vous car vous passerez plus de temps chez vous. Vous penserez à déménager, mais vous le reporterez à 2025. Vous embellirez votre maison en changeant quelques choses.

Si vous avez des enfants plus âgés, ils peuvent quitter la maison cette année. Vos parents et vos frères et sœurs peuvent quitter la maison. Toute votre famille sera en mouvement.

Santé de la Balance

Des problèmes d'anxiété et de stress peuvent survenir au cours de l'année, mais n'oubliez pas qu'un bon état physique et mental vous permettra d'accomplir de grandes choses dans la vie.

La santé a été un domaine stressant l'année dernière. Vous avez dû relever de grands défis parce que les planètes vous ont stressé. Vous devez toujours garder un œil sur votre énergie en général, en particulier sur vos niveaux d'énergie.
Cette année, vous avez besoin de deux fois plus d'énergie, ce qui peut affecter vos organes les plus vulnérables.

Un stress excessif et un mode de vie sédentaire peuvent être des facteurs de risque ; essayez donc d'avoir une routine organisée pour garantir une santé optimale.
Éliminez les excès, reposez-vous et donnez la priorité à une bonne alimentation. Effectuez des exercices qui vous permettent de relâcher les tensions accumulées. Il est bon d'essayer de nouvelles techniques, telles que la méditation ou le yoga, qui sont bénéfiques pour le corps et l'esprit.

Dates importantes

25/03- La Pleine Lune en Balance (éclipse lunaire pénombre l'en Balance) *dans votre signe signifie que cette Lune aura un impact particulier sur vous. Ce sera une période où vous vous efforcerez d'améliorer votre vie et celle de vos proches. L'univers apporte le bouton que vous attendiez.*

29/ 06- Lilith entre en Balance. *Ce transit peut intensifier votre soif de justice, mais aussi votre tendance à manipuler les autres, généralement avec de bonnes intentions. Vous devez faire attention à ne pas être trop intransigeant et croire que vous êtes le détenteur de la vérité dans vos relations amoureuses et sociales. Vous devez éviter d'agir avec cynisme, surtout lorsque vous êtes sur la défensive.*

8/ 29-Vénus entre en Balance. *Indique une analyse excessive des questions émotionnelles.*

22/ 9- Le Soleil entre dans la Balance.

9/ 30- Soleil conjoignant Mercure en Balance. *Le moment idéal pour communiquer vos idées.*

10/2- Eclipse solaire annulaire en Balance. *Ruptures amoureuses ou fiançailles. Déceptions ou moments de clarté spirituelle. Des débuts au travail ou en famille liés à des fins importantes.*

Scorpion

Le Scorpion a mauvaise réputation. Ce signe d'eau sombre est célèbre pour son charme mystérieux, son ambition impitoyable et son caractère insaisissable. Le signe le plus compliqué du zodiaque est représenté par le Scorpion, un animal perfide qui vit dans l'obscurité.

Pour le Scorpion, la vie est un jeu d'échecs, régi par la planète Pluton, qui a la capacité de se régénérer et de se transformer en sa version la meilleure et la plus forte.

La croissance est fondamentale pour le Scorpion, qui utilise la métamorphose comme outil d'expansion émotionnelle et psychique. Comme Pluton et les pouvoirs de séduction du monde occulte, le Scorpion dégage de l'énergie.

Les Scorpions n'ont aucun mal à trouver des prétendants et sont connus pour leur incroyable sensualité. En dépit de leur réputation lascive, ils accordent de l'importance à l'honnêteté et à l'intimité dans leurs relations.

En raison de son incroyable férocité et de sa puissance, le Scorpion est considéré comme un signe de feu, mais il appartient à l'élément eau, ce qui symbolise le fait qu'il puise sa force dans le subconscient et les émotions.

Les Scorpions sont remarquablement intuitifs et sensibles, ils peuvent sentir l'énergie de n'importe quelle maison et absorber les émotions des autres.

Le Scorpion est dur et, comme son symbole astrologique, il veille dans l'obscurité, attendant l'occasion parfaite pour frapper au moment où l'on s'y attend le moins. Ce signe d'eau calculateur se projette toujours vers l'avant avec un grand plan.

Cela ne signifie pas que ses intentions sont nécessairement néfastes, mais seulement qu'il aime planifier à long terme et que, pour ce faire, il se concentre sur ses objectifs et ne dévoile jamais ses cartes.

Les Scorpions savent utiliser leur intuition pour manipuler n'importe quelle situation et monter les gens les uns contre les autres. Les Scorpions doivent toujours garder à l'esprit que s'ils se laissent contrôler par leur désir de manipulation et de pouvoir, ils courent le risque de se faire piquer. Leur comportement secret peut leur faire perdre des relations.

Ce signe sait être à son meilleur lorsque son intensité personnelle s'applique aux amis proches car, bien que dubitatif et possessif, il est aussi très défensif envers ceux qu'il aime et est prêt à les protéger sans y penser.

Lorsqu'il est capable d'établir la confiance et de se sentir en sécurité, le Scorpion fait preuve d'empathie et d'engagement.

Une personne élégante vous fait bonne impression et, en tant que signe d'eau, vos sens sont très aiguisés, alors quand il s'agit de romance, vous devriez la gâter avec beaucoup de passion.

Ce signe d'eau intense tient à son intimité, il n'est donc pas facile de laisser un étranger pénétrer dans sa vie privée.

Si vous souhaitez faire la cour à un Scorpion, le processus de rencontre est très long et sera ponctué de nombreuses épreuves de force émotionnelle.

Chaque mouvement de ce signe est intentionnel, il faut donc être très rapide pour suivre la rime.

S'il parvient à traverser le processus avec succès, le Scorpion sera prêt à développer un lien d'âme avec vous. Contrairement aux autres signes, lorsque le Scorpion est dans une relation, cela ne signifie pas qu'il se sent en sécurité, son intensité est perpétuelle, car son objectif principal est de s'accrocher à son partenaire pour la vie.

Aucun signe du zodiaque n'est plus attaché au sexe que le Scorpion, mais malgré ses tendances, l'acte physique de l'intimité est moins important pour le Scorpion que la création de liens.

Les Scorpions ont du mal à satisfaire leur appétit et sont donc attirés par les expériences sombres et mystérieuses.

Il est très facile de devenir dépendant des relations, et cela peut prendre la forme de la folie, dans laquelle le Scorpion crée délibérément des problèmes pour tester son partenaire, un comportement toxique et aversif. Les Scorpions doivent se rappeler que dans les relations sérieuses, les personnes ont droit à l'indépendance émotionnelle et à l'intimité.

La principale chose à garder à l'esprit dans une relation avec un Scorpion est d'être clair, de demander ce que l'on ressent et de ne pas craindre de remettre en question tout comportement caché.

Les Scorpions aiment être responsabilisés et plus vous vous engagez avec eux par le biais d'une communication directe, plus la relation sera sécurisée.

Malheureusement, les déceptions sont inévitables dans la vie et, bien que les Scorpions soient célèbres pour leur capacité à renaître de leurs cendres, cela ne signifie pas que les ruptures soient faciles pour eux ; en fait, ils ont du mal à quitter leur partenaire.

Peu importe que ce soit lui qui prenne l'initiative de la rupture, ce signe pénétrant se sent toujours impuissant une fois que celle-ci a eu lieu.

Parfois, la fin d'une relation déclenche le désir particulier de contrôle du Scorpion, ce qui l'amène parfois à être en détresse et à s'impliquer avec ses anciens partenaires, il est donc préférable d'étouffer l'affaire dans l'œuf.

Poussé par ses passions, le Scorpion est un partenaire engagé et, bien que certains signes résistent à sa ténacité, d'autres signes sont inspirés par son énergie.

Horoscope général pour Scorpion

Cette année sera passionnante et intense, alors abordez-la avec une attitude positive. Préparez-vous à de nombreuses turbulences. Il est important de garder l'esprit ouvert, car il y aura des opportunités, mais aussi des défis inattendus. Si vous gardez une attitude flexible, vous pourrez tirer le meilleur parti de ces circonstances et les transformer en réalisations positives.

Bien que des obstacles puissent survenir au cours de l'année, les Scorpions ne doivent pas perdre la foi. Attendez-vous à l'inattendu et préparez-vous au pire.

Restez à l'écart de toute tentation et analysez le pour et le contre avant de prendre des décisions importantes pour votre vie.

Soyez honnête, ne perdez pas votre dignité et ne perdez pas espoir lorsque vous êtes mis au défi. C'est une année de grands changements, alors réévaluez périodiquement votre position dans la vie. Continuez à travailler et à nager à contre-courant.

Pendant la pleine lune, vous pourrez voir les résultats des projets sur lesquels vous avez travaillé. Vous devez donner la priorité à vous-même, à vos souhaits et à vos besoins.

Pendant la période de la nouvelle lune, votre énergie et votre enthousiasme seront très élevés. Vous devriez prendre des initiatives et chercher des occasions de prendre un nouveau départ.

Cette année, vous allez connaître un changement général dans votre vie, votre approche et vos perspectives. Il s'agit d'un changement subtil qui peut ne pas sembler immédiatement apparent. Vous aurez la détermination d'atteindre vos objectifs malgré les défis.

Si vous envisagez de vous engager dans une relation, de vous marier ou d'avoir des enfants, c'est l'année idéale pour le faire. Vous recevrez le soutien et l'amour de votre famille.

Essayez toujours de chercher le positif dans tout ce que vous rencontrez cette année, vos efforts seront récompensés au cours des trois derniers mois de l'année. N'attendez pas que les choses tombent du ciel, cherchez-les.

Cependant, vous disposerez de beaucoup d'énergie mentale pour mettre en œuvre vos projets. Vous devrez donc fournir un effort pour nourrir vos idées, votre esprit et être plus ingénieux dans vos projets.

Pendant les périodes d'éclipse, vous serez en mesure d'accéder à votre subconscient et de comprendre vos problèmes. Il peut s'agir d'un moment important pour lâcher prise et vous débarrasser de quelque chose ou de quelqu'un qui vous retient depuis un certain temps.

Votre famille vous soutiendra, vous vous sentirez en sécurité et vos vraies amitiés resteront fortes. Les personnes qui vous aiment vraiment seront toujours à vos côtés. Au milieu de l'année, vous devrez vous méfier d'une éventuelle trahison d'amitié, car vous serez confronté au dilemme de savoir si vous devez affronter la personne ou laisser tomber.

Vous serez en forme cette année, votre énergie sera puissante, mais attention à ne pas vous surmener. Faites des pauses quand c'est nécessaire, vous devez éviter l'épuisement.

Amour

De nouvelles personnes entreront dans votre vie. Vous saurez faire des compromis et vous éloigner de ceux avec qui vous n'avez pas de bonnes relations.

Il est temps de prendre l'amour au sérieux et de travailler à l'élimination des traumatismes amoureux du passé. Ceux-ci peuvent provenir des années de jeunesse ou de vies antérieures. Cette purification vous aidera à renforcer les liens affectifs que vous entretenez avec les autres.

L'année est favorable au mariage et à la naissance d'enfants, qui apporteront joie et bonheur dans votre foyer ; profitez-en donc pour améliorer vos liens familiaux.

Les Scorpions qui sont en couple vont vivre une période très décisive. N'oubliez pas d'être loyal et honnête avec votre partenaire et de partager vos émotions. Certains Scorpions verront une amitié se transformer en relation romantique.

Si vous êtes célibataire, vous aurez l'occasion de trouver l'amour ou c'est lui qui vous trouvera. Prenez le temps d'analyser la personne et d'écouter votre cœur.

En fin d'année, il peut y avoir des malentendus et des erreurs pour les jeunes mariés, qui peuvent être trompés au nom de l'amour.

La vie vous a mis à l'épreuve de bien des façons et vous a soumis à des situations difficiles, mais vous les avez affrontées et défiées avec précision, vous devez donc être patient. Toutes ces expériences ont fait de vous ce que vous êtes. Vous êtes devenu fort et courageux et rien ne vous arrête. Malgré cela, vous craignez encore d'exprimer ce que vous ressentez. Cette année vous apprendra de nombreuses leçons que vous avez ignorées pour faire semblant d'être une personne sans émotions. Exprimer ses émotions est important.

En bref, en ce qui concerne les affaires de cœur, vous vivrez une année de connexions émotionnelles profondes et de relations transformatrices. Que vous soyez célibataire ou dans une relation engagée, les planètes vous encouragent à embrasser votre vulnérabilité et à ouvrir votre cœur à l'amour. Faites toujours confiance à votre intuition.

Cette année, il est important de maintenir un équilibre entre vie professionnelle et vie personnelle. Des projets bien pensés conduiront à des changements positifs. Vous trouverez la stabilité et le bien-être dans votre vie personnelle et professionnelle et vous développerez une vision mature.

L'économie

Commencez la nouvelle année en accordant une attention particulière à l'argent, à votre situation financière et aux ressources dont vous disposez.

Pendant les périodes de rétrogradation de Mercure, vous surmonterez des défis et tenterez d'éliminer des blocages.

Vous aurez des gains monétaires, mais vous ne serez peut-être pas satisfait de ces gains financiers. Le début de l'année n'est pas le bon moment pour faire de gros investissements ou prendre des risques.

Il est conseillé de surveiller de près vos investissements et vos transactions, car un faux pas pourrait mettre en péril votre investissement et vous affecter émotionnellement ; soyez prudent avec vos finances cette année.

Vous aurez de nouvelles sources de revenus et, si vous vous trouvez au milieu de conflits, l'argent y mettra fin. Dans la seconde moitié de l'année, vous pourriez avoir des dépenses inattendues pour des voyages, des soins de santé, des équipements ou des réparations de voiture.

Le travail est important pour vous et vous pensez qu'il vaut mieux travailler dur que de simplifier le chemin. Cette année, votre dévouement et votre volonté vous mèneront au succès. Votre passion pour le travail sera admirée par vos collègues et vos efforts serviront d'exemple.

Famille

Il y aura quelques problèmes dans la vie familiale, mais ils pourront être résolus.

Vous pouvez avoir des conflits avec les membres de votre famille. La santé d'un proche peut être compromise, ce qui peut être à l'origine d'une mauvaise ambiance au sein du foyer.

Il se peut que vous viviez dans un endroit complètement différent, avec de nouvelles personnes, ou que vous cherchiez des occasions de faire des changements dans votre maison ou avec ceux que vous considérez comme familiers.

Entre février et mars, c'est la meilleure période pour changer ou rénover son logement.

Vous devez vous efforcer de cultiver les liens avec les personnes que vous considérez comme votre famille, afin qu'elles se sentent plus en sécurité.

Santé du Scorpion

Il est important de prendre soin de votre santé. Vous avez pris des habitudes malsaines, comme boire à l'excès et sauter le petit-déjeuner au profit de déjeuners tardifs. Ces habitudes peuvent nuire à votre bien-être.

Il est important de les changer et d'adopter un mode de vie sain.

Il n'est pas forcément possible d'abandonner complètement le goût de l'alcool ; il faut donc essayer d'en réduire la consommation et la fréquence.

Les conflits d'opinion avec les collègues de travail, surtout en milieu d'année, peuvent être source de stress. L'incapacité à exprimer ses émotions peut accroître l'anxiété.

Le stress et l'anxiété peuvent entraîner des problèmes de tension artérielle et de système digestif.

Adoptez une approche équilibrée de l'exercice, car un effort excessif peut être source de stress. Envisagez des activités qui font du bien à votre cœur et à votre âme. Le rire et la joie doivent vous accompagner pour maintenir votre bien-être.

Dates importantes

4/23 Pleine Lune en Scorpion. *Vous devez vous méfier de votre tendance à la jalousie et au désir de vengeance. Cette Lune est synonyme de profondeur et de renaissance et vous invite à vous aventurer à l'intérieur pour ouvrir les blessures et renaître. Vous pouvez vous sentir naturellement attiré à laisser partir les choses ou les personnes qui ne servent plus votre chemin.*

23/9 Vénus transite le Scorpion. *Ce transit est très puissant, car il vous amènera à changer votre rapport à l'intimité. Dans ce cycle, vous avez la possibilité de vous ouvrir à un nouveau contact avec votre intimité.*

13/10 Mercure entre en Scorpion. *Votre esprit est captivé et vous êtes capable de voir au-delà de la* *surface et de vous connecter à votre intuition. Des secrets peuvent être révélés, dévoilant tout ce qui est caché.*

22/10 Le soleil entre en Scorpion

11/01 Nouvelle Lune en Scorpion. *L'un des moments les plus importants du mois si vous souhaitez vous connecter à votre potentiel énergétique. Transformez positivement tout ce qui nécessite un changement dans votre vie.*

Sagittaire

Le Sagittaire est un signe qui accumule constamment des connaissances. Il traverse les mers et plonge dans les moindres recoins de l'univers au cours de ses voyages à la recherche de sensations fortes.

En matière d'amour, chaque jour et chaque heure sont une aventure pour ce signe de feu actif. Jupiter, la planète de l'abondance, est le maître du Sagittaire, la bonne fortune suit ce signe partout où il va et, en tant que centaure astrologique, le Sagittaire désire un développement mental, philosophique et spirituel et, bien sûr, beaucoup de plaisir.

Le Sagittaire a la capacité de transformer n'importe quoi, même l'activité la plus banale, en une entreprise fascinante.

Tout le monde a une histoire et, comme le Sagittaire est un excellent orateur, il peut partager ces souvenirs avec ses amis, sa famille et des personnes extérieures pour inspirer et éclairer tout le monde. Il suscitera également des rires contagieux dans l'auditoire.

Parce que ce signe de feu est séduisant, il est toujours entouré de spectateurs avides ; en d'autres termes, ce signe est sans aucun doute l'enfant célèbre du zodiaque. En tant que signe changeant, le

Sagittaire est également adaptable ; en fait, il a un désir profondément ancré de changement répété.

Le Sagittaire aime acquérir de nouvelles éthiques, idéologies et logiques, changer de perspective et, ce qui est peut-être le plus important, voyager dans le monde.

Le vagabond du zodiaque a une qualité d'errance et peut devenir capricieux s'il reste trop longtemps au même endroit ; il est donc essentiel que ce signe ait la liberté d'explorer.

Tout le monde n'a pas la capacité de suivre les préoccupations en constante évolution du Sagittaire, alors quand il s'agit de passion, ce signe de feu est connu pour gagner les cœurs.

Le Sagittaire est aussi le clown du zodiaque ; il raconte toujours une histoire ou une anecdote ; par conséquent, chaque conversation est pleine de plaisanteries et d'une sincérité remarquable.

Même s'il n'a pas d'adversaire, le Sagittaire doit se méfier de sa langue acérée et de ses commentaires satiriques. Leur énergie est parfois exagérée, ce qui les fait paraître prétentieux, voire méprisables.

La qualité changeante du Sagittaire rend un peu difficile la prise de décisions, comme celle de s'engager dans une relation. Avec tant de possibilités, vous avez du mal à choisir la bonne relation parce que vous aimez garder vos options ouvertes.

Pour ne pas être éclipsé, il faut être honnête avec ce signe, lui parler, être ferme et tout ira bien, car s'il y a bien une chose que le Sagittaire apprécie, c'est la sincérité.

Avec son esprit d'aventure intact, sortir avec le Sagittaire, c'est comme voler en montgolfière ou sauter en parachute par mauvais temps, car il aime vivre à la limite, là où il y a le plus d'occasions de découvrir quelque chose de nouveau.

En matière de relations, les choses deviennent risquées pour le Sagittaire, qui peut être encouragé à avoir des relations à haut risque.

Il n'est pas facile d'attirer l'attention du Sagittaire : après tout, le Centaure ne reste pas longtemps au même endroit pour maintenir sa motivation. Par conséquent, si vous voulez conquérir un Sagittaire, vous devrez garder ce signe dynamique en éveil ; ne craignez pas de montrer les aspects les plus énergiques de votre personnalité.

Le Sagittaire est attiré par l'affirmation de soi, alors n'oubliez pas de maintenir un style de communication amical. Vif et libre d'esprit, le Centaure a tendance à être insouciant lorsqu'il s'agit de sexualité, et ses relations physiques peuvent aller de l'accident à l'engagement, et comme il est un archéologue naturel, le sexe est toujours un événement pour ce signe fougueux.

Le Sagittaire considère l'intimité comme une occasion de découverte de soi et de plaisir intellectuel ; par conséquent, lorsqu'il s'agit de sexe, il a tendance à rechercher des sensations fortes.

Lorsque le Sagittaire décide de s'engager, les choses ne changent pas, il faut essayer de maintenir un style de vie aventureux 24 heures sur 24, 7 jours sur 7.

Les relations sérieuses consistent à partager les faiblesses, à créer une méthode de soutien et à affronter les réalités ensemble, mais si votre emploi du temps ne peut pas supporter le Sagittaire, essayez de faire de chaque jour un événement.

Envisagez d'explorer des pratiques de bien-être alternatives avec votre partenaire du Centaure : il aimera développer ses limites spirituelles avec vous à ses côtés. Lorsqu'il s'agit d'aventure, le Sagittaire cherche simplement un partenaire amusant ; il veut être avec quelqu'un qui le pousse à élargir ses horizons.

Mais n'oubliez jamais que, même dans une relation, le Sagittaire déteste les limites, alors si vous

vous retrouvez dans une relation avec ce signe, assurez-vous d'avoir votre document d'entrée prêt.

Vous ne saurez pas ce qui vous attend, mais ce sera certainement un voyage sans escale.

Les limites ne sont pas une mauvaise chose ; au contraire, elles fournissent une structure solide à la relation.

Lorsque vous êtes dans une relation avec un Sagittaire, essayez de créer dès le début des choses qui clarifient les choses à faire et à ne pas faire dans une relation.

Si vous voulez que votre Sagittaire vous envoie des messages tous les soirs, vous devez le lui dire dès le début, car il lui sera plus facile de comprendre la relation si les règles sont claires.

Le Sagittaire est toujours à la recherche de nouvelles sensations et sa liberté doit être respectée pour maintenir une relation saine à long terme. Faites-lui savoir que vous souhaitez participer à ses activités, mais laissez-le prendre la décision seul et évitez de le culpabiliser s'il décide de faire cavalier seul.

Le Sagittaire est très sincère, donc lorsqu'une rupture commence, les termes sont simples : s'il dit que c'est fini, c'est fini, il n'y a pas de retour en arrière possible avec lui.

En tant que bohémien, il est facile pour lui de faire ses valises et de partir lorsque les choses ne fonctionnent pas. En fait, le Sagittaire peut souvent passer à autre chose comme si la relation n'avait jamais existé.

Horoscope général pour Sagittaire

Cette année sera prometteuse pour le Sagittaire. Votre vie personnelle et professionnelle se déroulera bien, même si elle comportera son lot de défis et de responsabilités.

Vous devrez prendre des décisions importantes et vous devrez donc vous appuyer sur les conseils de vos amis et de vos proches.

C'est une période qui vous sortira de la routine et vous encouragera à poursuivre vos ambitions. Ce sera une année qui vous donnera un sentiment d'accomplissement.

C'est une année chanceuse pour le Sagittaire, mais le travail acharné et l'engagement seront la clé du succès. Ne soyez pas myope, apprenez à avoir une vue d'ensemble. Tous vos mouvements doivent être faits avec sagesse.

À partir du 25 mai, Jupiter, votre maître, transite par les Gémeaux. Cela vous aidera à vous rapprocher de votre objectif.

Pendant les périodes de rétrogradation de Mercure, vous aurez probablement envie de planifier de nouveaux départs et de vous concentrer sur les secondes chances.

Pendant les périodes de Nouvelle Lune, des opportunités uniques peuvent se présenter ; soyez donc très intelligent dans vos décisions et ayez confiance en vous.

Pendant les périodes de Pleine Lune, vos émotions seront à leur maximum et vous devrez prêter plus d'attention à vos désirs et à vos besoins.

La santé du Sagittaire sera moyenne cette année. Vous devez être vigilant et vous préoccuper de votre bien-être général. Vous traverserez des périodes de grand stress et d'anxiété qui affecteront grandement votre santé. Des habitudes malsaines pourraient nuire à la santé de votre cœur.

Méfiez-vous des dépendances. Reposez-vous suffisamment et privilégiez les repas préparés à la maison plutôt que la restauration rapide.

L'année est favorable à votre vie familiale, vous connaîtrez la prospérité et le bonheur au foyer. Cependant, la santé de vos enfants peut être une source d'inquiétude.

Les personnes qui souhaitent avoir un enfant pourront tomber enceintes dans les derniers mois de 2024.

L'amour s'épanouira, mais vous devez essayer de résoudre les différends dans votre relation.

.

Amour

Vous devriez faire très attention à vos relations amoureuses cette année, car les problèmes existants pourraient s'aggraver. Vous devriez vous efforcer d'éliminer les blocages amoureux.

Pendant les périodes d'éclipse, il est possible de renouer avec d'anciennes amours.

Les éclipses peuvent vous rappeler d'être joyeux, de vous amuser et de laisser entrer l'amour dans votre vie si vous êtes célibataire.

Les périodes de pleine lune vous rapprocheront des personnes avec lesquelles vous avez des liens forts et avec lesquelles vous ressentez une connexion spirituelle, mais vous vous éloignerez des personnes toxiques.

Jupiter après le 25 mai et tout au long de l'année 2024 apportera de l'énergie à vos relations. Vous aurez l'occasion de rencontrer de nombreuses personnes importantes et, de ces nouveaux liens, pourrait naître une histoire d'amour.

Si vous étiez en couple, vous pourriez décider de vous engager.

Pendant les périodes de Nouvelle Lune, vous serez ouvert à l'engagement et aux relations émotionnelles et physiques avec les autres.

Sentimentalité, sensualité, passion et beaucoup de plaisir vous attendent.

L'économie

Uranus continue d'apporter des changements dans votre vie professionnelle, mais Jupiter vous offre l'opportunité de faire les changements que vous souhaitez.

Vous aurez de nouvelles opportunités de projets ou un tout nouveau travail qui vous enthousiasmera.

Prêtez attention aux périodes de nouvelle lune, car c'est à ce moment-là que de nouvelles opportunités de prospérité se présentent.

Vous serez plus productif, efficace et organisé et les projets dans lesquels vous êtes impliqué porteront beaucoup de fruits, c'est-à-dire beaucoup d'argent, après le mois d'août.

Pendant les périodes de Pleine Lune, vous vous sentirez émotionnellement attaché à votre travail ou à votre profession. Durant ces périodes, vous approcherez de la fin de phases importantes pour vous sur le plan financier.

Vous devez avoir un plan financier et investir judicieusement. Ne vous laissez pas emporter par des options d'investissement insignifiantes, car vous pourriez perdre votre capital.

Jupiter et Saturne favorisent vos projets d'investissement à long terme. D'une manière générale, c'est une année au cours de laquelle vous ne ressentirez aucune crise financière.

Famille

A la maison, des problèmes obscurs peuvent surgir, mais ces événements renforceront votre intuition émotionnelle.

Certains vieux problèmes liés à la maison et à la famille devront être éliminés. Cela pourrait signifier plusieurs périodes d'incertitude, d'instabilité ou d'absence de liens familiaux.

Vous pourriez déménager, acheter une propriété, agrandir votre famille ou assumer de grandes responsabilités familiales. Les périodes de nouvelle lune peuvent offrir ces opportunités.

Soyez prudent pendant les éclipses lunaires, car cette forte énergie peut amplifier les problèmes familiaux. L'idéal est d'essayer d'améliorer les choses avant l'éclipse.

Sagittaire Santé

Le signe étant très actif, on risque de ne pas remarquer l'accumulation de fatigue chronique et de stress. Il est conseillé de consacrer du temps à la détente. Un massage, une discussion avec des amis et une promenade sur la plage amélioreront votre humeur et votre appétit.

Il est conseillé de suivre un régime alimentaire sain, en essayant de consommer des quantités suffisantes d'aliments riches en vitamines. Une carence en certaines vitamines peut entraîner des problèmes de peau.

Vous devez éviter la tension nerveuse et ne pas assumer trop de responsabilités à la fois. Des vacances à la mer seraient non seulement passionnantes, mais auraient également un effet bénéfique sur votre bien-être physique et mental.

Certains Sagittaires devront subir plusieurs visites chez le dentiste, tandis que d'autres diront tristement adieu à leurs aliments préférés. Un régime s'impose.

Tous les efforts ne seront pas vains. La modération et l'attention portée à la santé seront des sources d'optimisme.

Dates importantes

01/ 02- Mercure transite directement dans le Sagittaire.

Vous pourrez communiquer de manière plus fluide, vos pensées se concentreront plus facilement sur l'avenir.

23/05- Pleine Lune en Sagittaire.

Vous aurez l'occasion de vous libérer des modes de pensée qui limitent votre croissance. C'est le moment idéal pour élargir votre perspective et vous sentir plus confiant. Cette Pleine Lune marque la fin des liens émotionnels qui ne sont pas en accord avec votre énergie. Elle clôt un chapitre de votre vie lié aux questions financières. Vous avez besoin de trouver un équilibre dans votre routine quotidienne.

17/10- Vénus transite le Sagittaire.

C'est le moment de conquérir, car votre aura sera magnétique. Le sérieux ne fera pas partie de vos projets amoureux et vous aurez l'occasion d'essayer de nouvelles choses.

11/ 02- Mercure transite en Sagittaire.

Vous comprendrez mieux les motivations et les actions des gens.

21/11- Le Soleil entre dans le Sagittaire.

11/ 26- Mercure rétrograde en Sagittaire.

Évitez de signer des accords. Réfléchissez à votre passé, apprenez à demander pardon et faites preuve de souplesse en ce qui concerne le calendrier. Planifiez à l'avance. Ne prenez pas de décisions importantes.

12/01- Nouvelle Lune en Sagittaire.

Analysez vos relations personnelles, abordez les choses calmement et débarrassez-vous du stress. Éliminez la routine, planifiez de nouvelles choses avec engagement et dévouement. Fixez-vous des objectifs solides.

12/ 06- Soleil conjonction Mercure en Sagittaire.

C'est le jour idéal pour communiquer vos idées avec clarté et assurance.

15/12- Mercure direct en Sagittaire.

Vous pourrez communiquer de manière plus fluide, vos pensées se concentreront plus facilement sur l'avenir.

Capricorne

Le Capricorne est un signe représenté par la chèvre de mer, un animal avec la moitié d'une chèvre et la queue des Poissons.

Ce mystérieux spécimen peut vivre à la fois sur terre et dans l'eau et représente la capacité du Capricorne à équilibrer la logique et l'intuition.

Le signe le plus ambitieux du zodiaque sait mettre ces compétences en pratique.

Le Capricorne est gouverné par la planète majeure Saturne, la planète qui gouverne le temps et les restrictions. En astrologie, Saturne a pour rôle de donner des leçons difficiles et le Capricorne n'est pas étranger à ces souffrances.

Les Capricornes ont tendance à avoir beaucoup à faire pendant l'enfance et la jeunesse, mais ils rajeunissent, deviennent optimistes et amusants à mesure qu'ils mûrissent.

Sa force de caractère l'accompagne toujours et le Capricorne utilise cette force intérieure pour surmonter les obstacles et atteindre ses objectifs à long terme. En bref, ce signe ne permettra jamais à quoi que ce soit ou à qui que ce soit de s'opposer à son succès.

En tant que signe cardinal, le Capricorne est excellent pour lancer des projets et assumer des postes de direction, et son attitude positive lui permet de réussir dans n'importe quelle profession.

Le Capricorne aime partager avec ses amis proches et ses compagnons et ce signe de terre apprécie les moments de qualité avec ses partenaires.

Le Capricorne aime créer un environnement avec des personnes partageant les mêmes idées et dans chaque Capricorne sérieux se cache un personnage très espiègle.

Au premier abord, il semble un peu traditionnel et conservateur, mais ceux qui sont plus proches du Capricorne savent que cette chèvre de mer peut se transformer en véritable noctambule et faire la fête sans arrêt.

L'ambition du Capricorne inspire les apathiques, mais en raison de sa concentration inébranlable, il a aussi la réputation d'être froid et sans émotion. Par habitude, il pense toujours à la situation dans son ensemble et n'a ni le temps ni l'énergie de conseiller ses amis.

Bien que tous les Capricornes ne soient pas identiques, ils devraient se rappeler que tous les *succès de la vie ne figurent pas sur un CV et qu'en fin de compte, l'empathie est plus importante que n'importe quelle carrière.*

La compassion et l'ambition ne s'excluent pas mutuellement et lorsqu'il aura la capacité d'unir ces aspects dans sa vie, il sera beaucoup plus heureux.

Les Capricornes ont toujours un statut élevé, c'est pourquoi ils sont attirés par des partenaires ambitieux. Ils sont attirés par les personnes qui ont un talent professionnel ou créatif, ou même de l'humour.

Lorsque vous fréquentez un Capricorne, n'oubliez pas de mettre l'accent sur vos meilleures qualités et capacités. Le Capricorne s'intéressera à vous.

Les Capricornes veulent créer des bases solides dans leurs relations amoureuses ; par conséquent, ils ne perdent pas de temps dans des relations insignifiantes, ils n'errent pas de branche en branche et, s'ils montrent de l'intérêt, c'est qu'ils vous aiment vraiment. Au début, votre façon de tomber amoureux peut être assez traditionnelle ; vous ne voulez pas dépenser votre argent pour l'amour tant qu'il n'y a pas de sécurité. Si des sentiments naissent, le Capricorne commencera à se dévoiler et à devenir moins austère.

L'amant capricorne aborde la sexualité avec insistance et dévouement, les choses sont noires et blanches lorsqu'il s'agit de sexe.

Pour ce signe, il s'agit d'une expression de romance ou d'une soirée informelle. En l'absence de lien émotionnel, le sexe avec le Capricorne peut être stérile, presque comme une liaison avec un étranger. Mais lorsqu'il veut se laisser aller avec une personne à laquelle il est émotionnellement attaché, il montre sa monstruosité intérieure.

Le Capricorne est compétitif lorsqu'il s'agit de sexe, il vous demandera donc de lui raconter votre vie sexuelle, n'ayez pas honte car ce qu'il veut, c'est rivaliser ou s'améliorer.

Pour entretenir une relation avec un Capricorne, il suffit de se rappeler que pour lui, l'amour est comme une affaire et que, bien qu'il ne cherche pas à être ovationné comme d'autres, il exige le respect, surtout de la part de son partenaire.

Lorsque la relation dépasse la phase initiale, le Capricorne commence à approfondir le lien. Le Capricorne a besoin d'être avec quelqu'un en qui il peut avoir confiance et qui joue également le rôle de conseiller.

Pour ce signe, le travail est essentiel à la survie et constitue un exutoire productif pour ses luttes intérieures inconscientes.

Le Capricorne sera toujours reconnaissant d'avoir l'occasion d'exposer ses vulnérabilités à son partenaire, ce qui lui permettra de s'assurer non seulement un amant, mais aussi un ami.

Les Capricornes sont connus pour leur endurance et, dans une relation, ils s'attendent à ce que la traction de leur partenaire soit égale ou supérieure.

Ce désir n'est pas simplement d'être un partenaire puissant, mais de construire et de maintenir une qualité de vie que le Capricorne peut protéger. Rien n'est plus sexuel pour un Capricorne que le travail. Le Capricorne déteste les paresseux et si vous êtes comme cela, vous n'êtes pas son type.

Lorsque le Capricorne met trop de pression sur son partenaire, des ressentiments peuvent apparaître de part et d'autre. Pour éviter cela, il doit garder à l'esprit que chaque personne progresse à son propre rythme et, peut-être plus important encore, a sa propre définition de la réussite.

Si le Capricorne commence à la traiter comme une assistante, la relation peut prendre fin et, bien qu'il ne soit pas un menteur, si le Capricorne décide de partir, il analysera la situation comme une étude de marché, c'est-à-dire en explorant ses meilleures options pour conclure quel type de relation est le plus avantageux.

Après tout, pour cet administrateur astrologique, tout est une négociation, même les situations les plus émotionnelles peuvent être amorties par une bonne offre. Ne vous y trompez pas : si le Capricorne pense qu'une relation répond à ses attentes, il se battra pour elle jusqu'au bout.

Mais si vous constatez que les calculs ne donnent plus les chiffres escomptés, vous serez prêt à fermer le marché.

Il est honnêtement plus affectueux que son prestige ne le laisse supposer, mais il n'essaie jamais de convaincre quelqu'un de rester s'il n'est pas intéressé à aller de l'avant. Si vous avez la chance d'avoir un Capricorne, vous avez la garantie d'avoir un partenaire stable et fidèle.

Horoscope général pour Capricorne

Pluton en a presque fini avec vous, Capricorne, car 2024 est la dernière année où il sera dans votre signe. Pluton est dans votre signe depuis presque dix ans et a pris le contrôle de votre vie pendant cette période.

Cette année, vous continuerez à faire preuve de maîtrise de soi, vous aurez beaucoup d'énergie pour lancer de nouveaux projets et de nombreuses opportunités se présenteront à vous.

C'est l'année de l'amélioration de la confiance en soi.

Pendant les périodes de rétrogradation de Mercure, vous vous sentirez peu sûr de vous et penserez que vous ne disposez pas des ressources nécessaires. Cela peut créer beaucoup d'insécurité.

Pendant la pleine lune dans votre signe, de vieilles insécurités et de vieux problèmes minent votre confiance et votre capacité à être créatif. Concentrez-vous et faites de votre mieux pour vous améliorer.

L'année se termine avec la Nouvelle Lune dans votre signe ; vous terminerez donc l'année avec plus d'énergie pour vos objectifs de 2025. Vous aurez beaucoup d'enthousiasme pour saisir de nouvelles opportunités.

De tous les signes du zodiaque, c'est le vôtre qui sera le plus affecté par les événements lunaires en 2024. C'est une grande année pour vous, qui peut apporter des fins importantes et des débuts prometteurs.

2024 sera une année de bénédictions pour les Capricornes, car de nombreuses opportunités se présenteront à vous, mais aussi des défis dans votre vie amoureuse. Dans votre vie privée, quelques problèmes liés à votre partenaire se poseront. Des demandes en mariage apparaîtront au milieu de l'année pour les célibataires.

Une bonne communication et la confiance vous aideront à construire des relations plus saines. L'amour et la joie abondent dans vos relations. Des obstacles peuvent parfois surgir de la part de la famille et des amis, alors soyez fort.

Vous devez essayer de trouver un équilibre entre votre vie professionnelle et votre vie personnelle.

Les finances sont bonnes, mais vous devez économiser un peu. Vous aurez à faire face à des responsabilités professionnelles qui vous épuiseront physiquement et mentalement. Vous serez mentalement épuisé et stressé. Vous devriez vous débarrasser de votre rigidité innée et adopter une personnalité plus sensible ; ce changement pourrait vous permettre de vivre des expériences importantes. Vous n'avez pas besoin de prouver votre valeur au monde, votre attitude s'en chargera. Votre talent vous mènera au succès. Allez-y à petits pas et, avec la chance de votre côté, ce sera une excellente année pour vos finances.

Vous aurez de bonnes relations avec votre famille et vos amis. Faites confiance à vos proches et partagez avec eux.

Certains problèmes de santé peuvent perturber votre humeur, car vous pouvez vous sentir épuisé à certains moments. Vous pouvez souffrir de douleurs articulaires et d'épuisement nerveux en raison d'un régime de travail épuisant. Il est conseillé d'être attentif aux symptômes et de consulter un médecin avant que les problèmes ne s'aggravent. Un corps et un esprit sains devraient être l'objectif de votre vie. Essayez de maintenir un mode de vie sain et d'adopter des habitudes alimentaires saines tout en modifiant votre mode de vie. Éliminez le stress de votre vie.

Amour

Les questions de communication sont les plus importantes cette année. Vous aurez des conversations sérieuses et difficiles avec votre partenaire. Essayez d'être compréhensif et compatissant.

Pendant les périodes de rétrogradation de Mercure, des drames et des malentendus se produiront. Soyez très patient, il est important de rester calme.

Les problèmes de confiance peuvent détruire votre relation, si vous en avez une, et les soupçons peuvent conduire à une rupture. Vous devez être patient et garder les pieds sur terre.

Le sexe sera à l'ordre du jour dans la vie des célibataires. Ils devraient également essayer de se rapprocher de leur partenaire sur le plan émotionnel.

Uranus sera dans votre secteur amoureux tout au long de l'année, apportant des changements inattendus dans vos relations ; si vous êtes célibataire, vous aurez de nombreux prétendants.

Pendant les périodes de Pleine Lune, vous prendrez l'amour plus au sérieux et vous vous rapprocherez des personnes avec lesquelles vous avez un lien fort.

Pendant les périodes de Nouvelle Lune, vous pouvez officialiser de nouveaux engagements ou entamer de nouvelles relations.

L'économie

Capricorne, cette année, vous aurez d'innombrables occasions de démontrer votre talent au travail. Vous aurez le don de trouver facilement des solutions aux obstacles.

Une communication affirmée avec vos collègues et vos patrons vous mettra sur la voie du succès. C'est pourquoi vous devez améliorer vos compétences en matière de communication. Si vos objectifs financiers sont importants, vous devrez prendre plus de risques cette année. Parier sur tout est la seule façon de réussir.

Pluton transitera votre zone monétaire en 2024, perturbant vos schémas de comportement et vous obligeant à repartir de zéro si vous vous sentez insécurisé, instable, si vous manquez d'estime de soi et si vous ne savez pas ce que vous appréciez. Cela signifie que de l'argent ou des ressources matérielles peuvent vous être retirés pour vous forcer à apprendre.

Si vous étiez une personne sûre et stable, cette année pourrait vous permettre de mieux contrôler votre vie et de la rendre plus prospère.

Pendant les périodes de Nouvelle Lune, vous devriez vous concentrer sur la recherche d'opportunités financières, en vous rappelant de bien utiliser vos ressources.

Pendant les périodes de Pleine Lune, vous pouvez travailler à l'organisation de vos plans financiers et à la prise de décisions, ainsi qu'à l'élimination des blocages monétaires.

Cette année, vous pouvez cultiver votre façon de gagner de l'argent pour en gagner davantage et vous pouvez être beaucoup plus ingénieux avec ce que vous avez déjà. Vous pouvez créer plus d'abondance et d'opportunités pour une plus grande réussite financière.

Jupiter apportera de nouvelles opportunités de travail dans votre vie, vous recevrez des offres d'emploi ou commencerez de nouveaux projets professionnels. Si vous n'aimez pas ce que vous faites, c'est peut-être l'occasion de chercher un autre emploi ou une nouvelle profession.

Le 25 mars, une éclipse lunaire se produit dans votre secteur professionnel : c'est le moment de réaliser quelque chose d'important et d'obtenir une reconnaissance si vous avez fait les choses de la bonne manière et pour les bonnes raisons. Dans le cas contraire, vous risquez de subir des revers et des retards et de devoir réévaluer vos projets.

Le 2 octobre, une éclipse solaire dans votre sphère professionnelle vous rappelle que le moment est venu d'assumer de nouvelles responsabilités. Cette éclipse vous apportera également de nouvelles opportunités.

Famille

C'est une bonne année pour apporter des changements substantiels à votre maison, pour la rénover, la redécorer ou la remettre à neuf, ou pour retourner dans un endroit où vous avez déjà vécu.

C'est l'année où il faut jouer cartes sur table et fixer des limites avec sa famille, ce qui ne veut pas dire qu'il faut s'affronter, au contraire, les autres doivent comprendre vos priorités.

2024 sera une année de renforcement des liens familiaux.

Pendant les périodes de rétrogradation de Mercure, des problèmes surgiront à la maison et dans la famille. De petits conflits surgiront à la maison, vous vous sentirez mal à l'aise. La famille sera plus exigeante à votre égard, ce qui peut vous épuiser émotionnellement.

Les éclipses solaires permettent de se concentrer sur le foyer et de renforcer les liens familiaux.

Les périodes de pleine lune dans le domaine domestique et familial mettront en lumière les secrets de famille. En les résolvant, vous vous sentirez plus en sécurité sur le plan émotionnel. Vous devriez profiter des pleines lunes pour mener à bien des projets à la maison.

Capricorne Santé

2024 ne s'annonce pas comme une année pleine de complications. Un stress mal géré peut entraîner des malaises tels que la dépression et l'insomnie.

Le facteur principal est le régime alimentaire. Vous devez prendre soin de vos défenses, essayer de faire de l'exercice en permanence et faire attention à votre alimentation. Limitez la consommation d'aliments épicés et buvez plus d'eau.

Il est nécessaire de se soumettre à des examens médicaux de routine, d'aller chez le dentiste et de vérifier le taux de cholestérol.

Ils ont besoin de résoudre leurs problèmes émotionnels. Une bonne solution consiste à aborder les problèmes complexes avec un psychologue ou un thérapeute.

À la fin de l'année, vous serez obsédé par votre apparence physique et vous voudrez changer votre image. Essayez de ne pas vous angoisser, car c'est votre cœur qui souffre. Prenez soin de vos os et de votre peau et n'oubliez pas que votre dos est un peu fragile et que vous devez renforcer vos muscles.

Dates importantes pour le Capricorne

01/ 04- Mars entre en Capricorne.

01/11- Nouvelle lune en Capricorne

14/01- Mercure entre en Capricorne

20/01- Soleil conjonction Pluton en Capricorne

23/01- Vénus entre en Capricorne

22/06- Pleine Lune en Capricorne

09/01- Pluton entre en Capricorne

10/12- Pluton direct en Capricorne

11/ 11- Vénus directe en Capricorne

11/ 15- Saturne direct en Poissons

12/ 21- Le Soleil entre dans le Capricorne

Verseau

Le Verseau, symbolisé par le porteur d'eau qui donne vie à la terre, est un signe d'air honorable.

Progressistes et rebelles, ils sont là pour bousculer l'ordre. Le Verseau croit en la justice et l'équité et, pour ce penseur, tout est social ou politique.

Il pense que chaque action a une réaction et que, de même, tous ses choix reflètent une morale. Rebelle dans l'âme, ce signe d'air méprise l'autorité et est prêt à rejeter tout ce qui représente la convention.

Il croit sincèrement que les changements de perspective améliorent le bien commun et ne craint pas de sonner quelques cloches lorsqu'il s'agit de justice sociale.

Ce mode de vie atypique inspire son entourage et aime montrer qu'il est toujours possible de rêver grand. Si un projet est bloqué, le Verseau a la solution.

Le Verseau est gouverné par Uranus, la planète qui régit l'innovation, la technologie et les événements à fort impact.

Il a une réelle aptitude au progrès, c'est pourquoi on le qualifie souvent d'enfant prodige du zodiaque. Intelligent et avide de changement, il a toujours deux longueurs d'avance sur la société moderne. Son entêtement est son talon d'Achille.

La persévérance du Verseau est clairement liée à ses doctrines fortes et justes, et cette caractéristique est étouffée dès qu'il a l'occasion de proclamer un changement positif.

Le Verseau étant toujours très motivé par l'égalité, il aime travailler dans des groupes et des communautés de personnes partageant les mêmes idées.

Le Verseau a besoin de beaucoup d'espace pour réfléchir, former des idées et planifier son rôle dans la cause qu'il défend. La liberté, tant en théorie qu'en pratique, est très importante pour ce signe.

En fait, quiconque remet en question la liberté du Verseau est son adversaire. Comme on peut le constater, il est difficile pour le Verseau de tomber amoureux, car il se concentre sur la société dans son ensemble, et non sur le bavardage avec une seule personne. Cependant, même s'il ne veut pas l'admettre, c'est un individu au sang chaud qui a besoin d'affection.

Parce que le Verseau n'est pas un être physique, l'amour ressemble beaucoup à l'amitié, il aime sortir des sentiers battus et son approche des rencontres est donc peu conventionnelle.

Au lieu de faire des rencontres traditionnelles, envisagez quelque chose qui corresponde à vos intérêts personnels, mais n'oubliez pas que le Verseau pense que tous les intérêts et les passe-temps doivent refléter l'éthique d'une personne ; par conséquent, assurez-vous de découvrir exactement ce que vous aimez avant de faire des réservations.

La chose la plus importante à garder à l'esprit pour une histoire d'amour avec le Verseau est qu'il a besoin de beaucoup d'espace personnel. Le temps seul est essentiel pour ce signe, en fait il se rebelle s'il se sent enfermé.

En cas de doute, prenez du recul et attendez que le Verseau vienne à vous. Rappelez-vous que même s'il est distant, la vérité est qu'il vous aime beaucoup, il a juste sa propre façon d'exprimer ces sentiments.

Le Verseau est excentrique, il déteste donc être étiqueté et classé, et il est particulièrement enthousiaste à l'égard des personnes qui ont un style non conventionnel et qui combinent différentes apparences.

Avec sa tête si haute dans le ciel, il n'est pas étonnant que ce signe ait la réputation d'être indifférent lorsqu'il s'agit de relations intimes.

Cependant, bien qu'il soit souvent plus intéressé par l'abstrait que par les désirs charnels, ne vous y trompez pas car le Verseau aime le plaisir et sait ce qu'il veut.

Stimulez votre amant Verseau en échangeant les rôles, en expérimentant des désirs cachés et en explorant de nouvelles façons d'exprimer votre sexualité individuelle. Comme le Verseau est lié à la technologie, les appareils de plaisir les plus récents vous stimuleront davantage que vos fantasmes.

Bien qu'il soit difficile de concilier son besoin de liberté avec les exigences de la relation, lorsque le Verseau s'engage, il se rend compte que tout est une négociation.

Fondamentalement, il veut que les choses soient égales et que ses préférences ne dominent pas la relation. Par conséquent, lorsque vous avez une relation avec le Verseau, essayez de créer ensemble des paramètres différents.

N'oubliez pas qu'une séparation de temps en temps n'est pas nécessairement synonyme d'éloignement émotionnel ; une petite séparation permet d'approfondir l'amour et la confiance, jetant ainsi les bases d'une relation concrète. Il est également important de garder à l'esprit que, bien que le Verseau exprime ses émotions de manière inhabituelle, il a des sentiments, fait de son mieux pour être un partenaire attentif et aimable et dépendra de votre soutien.

Horoscope général pour Verseau

Bienvenue à bord de l'Aquarius. 2024 sera une année de grand plaisir et tous vos souhaits seront exaucés grâce aux événements planétaires se produisant dans votre signe du zodiaque.

Au cours de cette année, vous vous concentrerez entièrement sur vous-même et définirez une nouvelle identité et des défis personnels sans vous laisser influencer par les attentes de votre entourage. Au cours de cette année, vous bénéficierez du soutien de votre famille et de vos amis.

Vos finances seront en dents de scie, vous devrez donc être prudent dans vos investissements financiers, car vous risquez de subir des pertes et des problèmes. Votre crédibilité pourrait être mise en péril, ce qui nuirait à votre prestige. Certaines personnes de votre entourage et collègues de travail vous décevront car ils vous exposeront à des intrigues et des mensonges. Essayez d'être patient face à ces situations afin que tout se termine bien.

Vous recevrez des leçons importantes au cours de cette année, alors soyez patient et ne vous préoccupez pas de choses insignifiantes.

 Si vous étiez célibataire, vous pourriez rencontrer l'une de vos âmes sœurs et nouer des liens très *profonds. Vous aurez de nombreuses occasions de réussir, mais vous devrez prendre d'importantes décisions professionnelles et certains devront peut-être se séparer de leur famille pour des raisons professionnelles.*

Vous devez prendre soin de votre santé et être cohérent dans vos efforts pour créer de bonnes habitudes, éviter les mauvaises habitudes alimentaires et suivre une routine saine combinée à de l'exercice. Vous devez éviter tout ce qui est source de stress et de tension, car cela peut affecter votre santé émotionnelle. Si vous avez du mal à dormir et à vous reposer, ne prenez pas de médicaments, mais essayez de méditer.

Pluton reviendra dans votre signe en 2024, vous aidant à trouver votre pouvoir personnel et à renforcer votre volonté. Vous serez en mesure de cultiver vos passions, d'apporter plus d'abondance dans votre vie et d'être plus créatif. Vous aurez davantage confiance en vous et votre force sera puissante. Vous ne vous laisserez pas abattre par quoi que ce soit ou par qui que ce soit. Ce sera également bon pour les questions d'argent et peut augmenter votre prospérité. De nouvelles opportunités s'offriront à vous et un nouveau chapitre de votre vie pourrait s'ouvrir à vous.

Pendant les périodes de pleine lune, vous devriez prendre soin de vos besoins émotionnels, car vous pourriez être plus sensible et frustré. Prenez soin de vous et vous vous sentirez plus calme. Essayez de vous concentrer sur l'amour de vous-même et ne vous laissez pas abattre par les circonstances extérieures. Vous devez maintenir une certaine distance dans vos relations personnelles et émotionnelles afin de pouvoir gérer les engagements de manière consciente. Vous devez vous rendre compte que de nombreuses personnes ne pensent pas comme vous.

Les conflits familiaux appartiendront au passé, car des accords importants seront conclus à la maison.

Vous aurez plusieurs ruptures avec des personnes toxiques ; si vous avez un partenaire, il y aura beaucoup de hauts et de bas parce qu'une troisième personne interviendra dans vos décisions. Il est important que vous résolviez ce conflit.

Si vous n'avez pas de partenaire, c'est l'année pour combler les lacunes sentimentales et retomber amoureux.

Pendant les périodes d'éclipse, utilisez toutes vos connaissances professionnelles pour tracer votre chemin. Ne feignez pas l'ignorance par peur de ne pas exprimer ce que vous savez, mais montrez que vous êtes des professionnels.

Amour

Une année pleine d'amour, au cours de laquelle vous vous rendrez compte que les maux de tête n'ont pas de sens lorsque vous avez de bonnes personnes à vos côtés.

Si vous n'avez pas de partenaire, une mélancolie vous empêche d'aller de l'avant et de faire de nouvelles rencontres. Le goût d'un amour passé vous a laissé une blessure profonde. Vous méritez mieux et quelqu'un entrera dans votre vie pour vous le faire comprendre.

Tout amour passé doit être oublié et, lorsque la passion entrera dans votre vie, vous regretterez de ne pas avoir osé briser ces schémas plus tôt.

Ceux qui ont un partenaire en bénéficieront au cours de l'année, car ils laisseront derrière eux les rancunes causées par les différences ou les erreurs commises par l'autre, une année plus positive en termes de romance et de passion. Bien sûr, il y aura de petits malentendus qui mettront le couple mal à l'aise, mais tout sera résolu après de longues discussions et des accords qui profiteront aux deux parties.

L'économie

Cette année, vous avez l'occasion de consolider votre économie et d'acquérir des compétences *supplémentaires dans votre profession qui vous permettront de réussir.*

Si vous êtes à la recherche d'un emploi, utilisez toutes vos ressources pour le trouver et vous pourriez même obtenir une recommandation de la part de quelqu'un que vous connaissez. La meilleure façon de réussir est de s'adapter aux changements et de résoudre les problèmes, mais sans perdre patience.

C'est une année d'abondance, au cours de laquelle vous pourrez acheter quelque chose de précieux dont vous avez toujours rêvé, probablement une maison ou investir dans une entreprise. Certains défis financiers peuvent être surmontés grâce à votre créativité.

Les problèmes d'argent peuvent être résolus en établissant un budget et en trouvant des moyens de mieux gérer vos ressources. Vous pouvez recevoir un bonus ou avoir de la chance dans un jeu.

Vous pouvez décider d'acheter une nouvelle voiture ou recevoir des avantages ou des opportunités par le biais de courts voyages, de messages, de courriels ou de contacts avec des collègues et des voisins. Restez à l'affût des opportunités.

Famille

Vous serez indispensable à votre famille, ce qui vous privera d'une grande partie du temps que vous pourriez consacrer aux loisirs. Votre sens des responsabilités sera sollicité au maximum et vous aurez l'occasion d'être un modèle, ce que vous aimez faire. N'oubliez pas que votre famille doit savoir qu'elle peut compter sur vous ; si vous apparaissez distant et supérieur, ce sera difficile.

Uranus traversera votre zone d'habitation, ce qui pourrait entraîner des changements dans votre vie familiale. Vous pourriez également déménager dans une maison plus grande lorsque Jupiter transitera cette zone au début du mois de mai.

Pendant la pleine Lune, vous achèverez des projets domestiques, mais vous devrez peut-être aussi résoudre des problèmes familiaux.

Vous subirez une métamorphose psychologique et assisterez à un renouveau spirituel au niveau familial.

Santé du Verseau

Cette année, vous vous rendrez compte que vous avez pris de mauvaises décisions, mais ne vous laissez pas abattre. Vous devez grandir, mûrir, oser changer votre mode de vie et prendre des décisions plus fermes pour atteindre une santé optimale.

Il peut être nécessaire d'aller au bloc opératoire, mais il s'agit d'une opération mineure et le rétablissement est rapide.

Vous devez purifier et nettoyer votre corps, prendre soin de votre côlon, de votre estomac et de votre vésicule biliaire. Vous devriez consulter un chiropraticien pour ajuster vos os grâce à la réflexologie. La pratique du yoga et de la méditation vous aidera à rééquilibrer votre corps physiquement et spirituellement.

Vous devez avoir des relations sexuelles avec modération, dormir suffisamment et vous déconnecter de vos responsabilités.

Dates importantes

01/20 Le Soleil entre dans le Verseau

21/01 Pluton entre dans le Verseau

02/ 09- Nouvelle lune en Verseau

13 février - Mars entre dans le Verseau

16 février - Vénus entre dans le Verseau

05/02- Pluton rétrograde en Verseau

06/ 29- Saturne rétrograde en Poissons

19/08- Pleine lune en Verseau

11/ 19- Pluton entre en Verseau

Poisson

Les Poissons sont symbolisés par deux poissons nageant en sens inverse, reliés par un fil invisible, représentant leur existence à la croisée des chemins entre l'utopie et la réalité.

C'est le dernier signe du zodiaque et, pour cette raison, les Poissons ont accumulé toutes les leçons des onze signes principaux.

C'est le signe le plus spirituel de la roue zodiacale. Gentil et courtois, mais rude comme un spécimen vivant dans les eaux profondes de l'océan.

Le flou des Poissons est régi par Neptune, la planète qui contrôle la créativité et les rêves, ainsi que l'utopie et l'évasion. Neptune est luxueux, fascinant, mais peut parfois être effrayant.

Ces propriétés se retrouvent chez les Poissons. En tant que signe d'eau, il possède une énorme profondeur multidimensionnelle et une magie qui le rend séduisant pour les autres.

Tout comme la mer alterne ses vagues : tantôt calme, fantasmant sur le lendemain et réfléchissant sur les âmes et les événements de sa vie, tantôt énergique et violente, libérant ses sensibilités les plus intimes dans des courants grandioses.

La mer étant une force puissante et dangereuse, préparez-vous à toutes les frayeurs qui vous attendent avant de partir à la conquête des Poissons.

Dévoué à sa méthode, le Poisson ne craint jamais de changer d'avis ; au contraire, il apprécie l'opportunité d'adopter de nouvelles approches et de nouvelles idées.

Les Poissons ne sont pas rancuniers, ils peuvent avoir le plus grand conflit du monde et l'effacer complètement de leur esprit. Les Poissons aident également les autres à voir la vie sous de nouvelles perspectives et vous pouvez compter sur eux pour vous aider en toute circonstance.

Toujours à la recherche de nouvelles façons d'élargir ses horizons, le Poisson aime libérer sa spiritualité à travers des coutumes qui modifient son imagination, même s'il s'agit de poursuivre une sirène dans un marais, car, en tant que signe suprême du zodiaque, il a la certitude que la réalité est bien intangible. Ce signe est une éponge émotionnelle qui attire définitivement tout ce qui l'entoure, même ce qui existe sur le plan subtil.

Avec une telle empathie, avant de s'engager dans une nouvelle relation, les Poissons devraient prendre le temps d'examiner ce qu'ils ressentent vraiment, de noter toute gêne et, si les choses semblent étranges, il est très probable qu'ils aient absorbé des énergies sombres du champ aurique de l'autre personne.

Si le Poisson peut identifier la source de cette tension, il lui sera plus facile de reconnaître comment les sentiments des autres l'affectent physiquement.

Cela peut vous aider à vous concentrer sur la définition des lignes et à éviter d'être submergé par les difficultés des autres à l'avenir.

Le Poisson est une âme douce, affectueuse et pure, animée par les rêves, la musique et l'amour. Sortir avec un Poisson, c'est comme plonger dans les profondeurs du grand océan, excitant et mystérieux.

Les Poissons sont instinctivement attirés par les personnes non conventionnelles qui marchent au rythme de leur propre tambour. Toutefois, cela ne signifie pas que votre partenaire idéal est un paria.

Les Poissons préfèrent les partenaires liés à des communautés innovantes et libérales. Pour un rendez-vous avec les Poissons, pensez à visiter un opéra, une galerie d'art ou à vous inscrire à un atelier artistique.

Il est influencé par les expériences, en particulier celles qui impliquent les pouvoirs non oraux et non corporels ; en effet, toute expérience avec les Poissons spirituels est confirmée comme impliquant une exploration subjective profonde.

Avec le temps et l'interaction, vous pouvez découvrir exactement quel type de pratiques le partenaire de ce signe peut ou ne peut pas tolérer, mais au début de votre engagement, évitez tout ce qui est exorbitant.

Cette créature perspicace ne tolère aucune impolitesse.

Avec cette remarquable personnalisation spirituelle et affective, l'accouplement des Poissons est profondément sentimental ; cette créature des eaux profondes conçoit les relations intimes comme l'alliance de deux âmes sublimes et propres.

Les Poissons peuvent avoir des relations sexuelles non planifiées, mais ils choisissent d'être avec quelqu'un qu'ils aiment sincèrement avant de tomber si bas.

Il est difficile pour ce signe sensible de créer des limites, car il n'y a pas de limites dans la mer. Avoir une relation occasionnelle avec les Poissons, c'est comme voyager dans une autre galaxie, et il est beaucoup plus difficile d'embarquer dans leurs marées dans le cadre d'une relation établie.

Structurer une relation durable avec les Poissons est un art, qui exige de l'intrépidité, du dynamisme et de l'adaptabilité. Les Poissons opèrent dans une réalité qui leur est propre, il n'est donc pas surprenant que ce signe d'eau rêveur puisse être un peu rude sur les bords.

Il se peut qu'il fasse des projets d'avenir avec vous, qu'il veuille acheter une maison ou avoir un enfant, puis qu'il change d'avis après un certain temps. C'est décevant, mais il ne sert à rien de confronter les Poissons à leur comportement malhonnête, car ils n'ont pas de cadre émotionnel, leur seule protection est de s'enfuir à la nage et, si vous ne le saviez pas, les Poissons ont tendance à quitter le navire à la moindre attaque.

Dans une relation, les Poissons doivent accepter de communiquer les émotions de leur partenaire. Il peut être difficile pour eux d'admettre quelque chose qu'ils ne veulent pas entendre, mais la communication est la clé du maintien de la relation.

Si vous sentez que votre partenaire Poissons commence à s'éloigner, la musique est un moyen de l'attirer. À première vue, cela semble simple, mais les objets personnalisés gagneront sûrement le cœur de ce petit poisson et contribueront à rétablir la confiance dans votre relation. Cependant, si une relation atteint un point de non-retour, les Poissons s'isolent discrètement.

Il préfère ne pas affronter le problème, de sorte que la forme de rupture qu'il préfère est souvent vague et non définitive.

Horoscope général des Poissons

Si vous souhaitez changer radicalement de vie, créer votre propre entreprise ou votre propre autonomie et affirmer votre individualité, c'est l'année qu'il vous faut.

L'influence des planètes vous rend intrépide et courageux, mais aussi sujet aux accidents. Tous les accidents seront le résultat de vos actions irréfléchies ou impulsives, car votre désir sera de vous aventurer sans tenir compte des conséquences ou des avantages et inconvénients qui peuvent survenir en cours de route.

Les autres auront tendance à vous qualifier d'égoïste ou d'égocentrique, ce qui n'est pas toujours faux, car vous serez plus intéressé par vos propres affaires que par celles des autres. Vous serez également beaucoup plus autoritaire qu'auparavant et aurez tendance à imposer vos opinions.

C'est une année où vous réussirez à atteindre les objectifs que vous vous êtes fixés. Vous ferez preuve d'une grande cohérence et d'une grande autorité pour imposer vos idées. Vos ambitions seront fortes et précises et vous ne céderez pas à la peur ou à l'insécurité.

Il est important que vous fassiez preuve de discernement et que vous choisissiez les objectifs *prioritaires et les objectifs secondaires. Ordre, méthode, organisation et travail constant sont les mots clés de la réussite cette année.*

Vous risquez également de rencontrer des problèmes difficiles à résoudre, des adversaires qui remettent en question vos capacités, ou d'avoir affaire à des patrons ou à des personnes en position d'autorité qui ne sont pas très logiques et qui constituent un obstacle à votre vie.

Le destin mettra à l'épreuve votre ténacité et votre confiance. Le succès ne viendra pas de la chance, mais d'un travail acharné.

A la maison, vous trouverez un environnement aimant et encourageant. Ne laissez pas vos ambitions et les questions matérielles prendre le pas sur votre côté affectif.

Neptune restera dans votre signe pendant toute l'année 2024, amplifiant l'énergie naturelle des Poissons, vous rendant plus intuitif, spirituel, imaginatif, compatissant, empathique et créatif. Saturne sera également dans votre signe pendant toute l'année 2024, limitant une partie de cette énergie, vous obligeant à être plus concentré et à garder le contrôle.

En 2024, vous exercerez plus de responsabilités, grâce à Saturne, et cela pourra vous sembler contraignant et étouffant par moments, mais vous aurez peut-être des leçons à apprendre qui vous aidera à grandir d'une nouvelle manière.

Pendant les périodes de Nouvelle Lune, vous aurez l'occasion de prendre l'initiative et d'aller au bout de vos désirs. N'oubliez pas d'être discipliné et peu pressé avec Saturne, tout en écoutant votre intuition avec Neptune.

Les éclipses lunaires peuvent être des moments finaux. Il peut s'agir d'un grand final, de quelque chose sur lequel vous travaillez depuis un certain temps et que vous êtes prêt à terminer, ou vous pouvez libérer ou laisser partir quelque chose d'important qui vous retenait où vous pesait.

Vous pourriez voir les résultats de votre travail, ce qui signifie que vous serez récompensé si vous avez fait les choses de la bonne manière et pour les bonnes raisons, ou vous pourriez avoir des revers si vous devez changer votre approche. Les émotions peuvent être fortes et profondes et vous devrez peut-être prêter plus d'attention à vos désirs et à vos besoins.

Poissons 2024 vous apporte de nombreux changements positifs, c'est une période où vous irez de l'avant et aurez l'occasion d'exercer votre plein potentiel tout au long de l'année grâce aux vibrations positives qui vous entourent. Cette année marque le début d'une nouvelle vie pour les Poissons.

Le travail acharné et le dévouement vous permettront de terminer l'année avec succès.

Concentrez-vous sur l'avenir et saisissez les opportunités qui se présenteront à vous cette année. Évitez les soucis et les angoisses qui peuvent vous épuiser. Canalisez votre énergie dans des domaines positifs et équilibrez votre vie.

Amour

Cette année sera pleine d'aventures, d'engagements émotionnels et de responsabilités qui peuvent révéler une autre facette de votre personnalité. Vous vous sentirez peut-être dépassé par les événements qui vous entourent, mais avec le temps, vous vous adapterez au rythme de la vie.

Votre vision des relations et de l'équilibre entre vie professionnelle et vie privée peut changer de manière significative lorsque vous entrez dans une nouvelle phase de votre vie.

Pendant les périodes de pleine lune, vous prendrez vos engagements plus au sérieux. Il se peut que vous vous engagiez davantage sur le plan émotionnel. Si vous sentez que vous n'avez pas une bonne connexion avec quelqu'un, vous pouvez ressentir le besoin de vous éloigner complètement.

Lorsque la Nouvelle Lune se produit dans votre secteur amoureux le 5 juillet, vous recevrez plus d'amour dans votre vie. Vous pourrez passer plus de temps avec les personnes que vous aimez et partager l'amour que vous ressentez. Si vous êtes en couple, cela pourrait vous apporter plus de romance. Si vous êtes célibataire, vous pourrez attirer l'attention et vous amuser.

Pendant les périodes de rétrogradation de Mercure, les problèmes relationnels existants peuvent s'aggraver.

Si vous êtes célibataire, vous vous concentrerez surtout sur votre épanouissement personnel, ce qui signifie que vous ne serez pas très intéressé par la recherche de l'âme sœur en 2024.

C'est peut-être l'année où vous commencez à fréquenter plusieurs personnes à la fois pour les comparer les unes aux autres. Il n'y a rien de mal à cela, mais veillez à ne pas commettre d'erreurs pour éviter d'envoyer un SMS à la mauvaise personne ou de vous rendre au mauvais endroit au mauvais moment.

Si vous avez un partenaire, des problèmes de communication peuvent survenir, il est donc essentiel d'exprimer honnêtement vos sentiments. En outre, de vieilles blessures et des émotions non résolues peuvent refaire surface, vous obligeant à les affronter et à les guérir. N'oubliez pas que ces défis sont autant *d'occasions de grandir et qu'ils renforceront votre amour.*

Au fur et à mesure que l'année avance, préparez-vous à des événements inattendus dans votre vie amoureuse. Un ancien amour pourrait se raviver ou vous pourriez croiser le chemin d'une personne que vous pensiez avoir quitté vos rêves. Accueillez ces rencontres à cœur ouvert, car elles ont le potentiel de changer votre vie amoureuse de façon extraordinaire.

L'économie

L'année 2024 est un voyage sur les marées de la prospérité, car votre attention se portera sur le domaine monétaire. Cette année promet des vagues d'opportunités et votre créativité innée et votre nature intuitive seront des atouts précieux dans le monde financier. Vos idées novatrices peuvent conduire à des flux de revenus inattendus et les investissements réalisés avec organisation peuvent donner d'excellents résultats.

Cependant, des dépenses imprévues ou des difficultés financières peuvent survenir. Il est essentiel d'avoir un budget et d'épargner pour les jours difficiles. Vous devez vous méfier des entreprises risquées et vous rappeler que toutes les opportunités ne sont pas aussi prometteuses qu'elles le paraissent.

Évitez les dépenses impulsives et respectez un plan financier. L'intuition peut aider à prendre des décisions financières, mais elle peut aussi conduire à des achats impulsifs motivés par les émotions. Il est essentiel de trouver un équilibre entre le cœur et le portefeuille. Réfléchissez avant de prendre des engagements financiers importants.

Envisagez d'allouer des ressources à votre développement personnel ; investir dans votre formation pourrait vous permettre de bénéficier d'une croissance financière à long terme. Cette année pourrait être celle où l'acquisition d'une nouvelle compétence sera très gratifiante, augmentant votre potentiel financier ou vous ouvrant de nouvelles perspectives de carrière.

Pendant les périodes de Pleine Lune, vous verrez les résultats du travail que vous avez accompli et vous vous efforcerez de lever les blocages qui vous ont empêché d'aller de l'avant.

Pendant les périodes de rétrogradation de Mercure, vous aurez beaucoup d'énergie et de concentration, ce qui vous permettra de ramener l'abondance dans votre vie. Vous pourrez également relancer des projets professionnels ou reprendre un ancien projet qui ne s'est jamais concrétisé.

Il est important que vous effectuiez un travail qui vous implique émotionnellement, qui vous passionne, qui vous donne du plaisir et qui vous satisfait, sinon cette année pourrait être très difficile sur le plan professionnel. Si ce n'est pas le cas, 2024 vous obligera probablement à changer.

Famille

Cette année promet un mélange d'amour, de croissance et de défis dans votre vie familiale, vous donnant l'occasion de surmonter les obstacles.

Quelqu'un va entrer dans votre famille et rafraîchir l'atmosphère, en apportant l'énergie dont tout le monde a besoin. Son approche sera exactement à l'opposé de la vôtre, mais il apportera harmonie et connexion à votre famille.

Votre compassion naturelle et votre nature empathique se manifesteront de manière éclatante, vous permettant de jouer un rôle de pacificateur dans les désaccords familiaux.

Toutefois, attendez-vous à des désaccords ou à des malentendus. Votre nature empathique peut vous amener à absorber le fardeau émotionnel des autres, ce qui peut nuire à votre bien-être. Il est essentiel de fixer des limites et de communiquer ouvertement pour surmonter ces difficultés et maintenir l'harmonie au sein de la famille.

Envisagez de participer à des activités communes pour renforcer l'unité de votre famille. Acceptez le changement comme une opportunité de transformation positive pour votre famille, en favorisant un climat de compréhension.

Accordez la priorité au temps de qualité avec vos proches. Débranchez-vous des distractions.

Santé des poissons

En 2024, les étoiles s'alignent pour vous donner beaucoup d'énergie et de vitalité, ce qui vous permettra d'avoir une bonne santé et aussi beaucoup d'enthousiasme.

C'est une excellente année pour mettre en place une routine d'exercice adaptée à vos préférences. Une alimentation équilibrée et une bonne hydratation contribueront à votre bien-être. Les soins personnels doivent être votre priorité.

Le stress et les fluctuations émotionnelles doivent être gérés, leur nature empathique peut conduire à l'épuisement émotionnel, il faut donc fixer des limites.

Le surmenage peut nuire à votre santé. Veillez donc à prendre régulièrement des pauses et des vacances pour recharger votre énergie. Accordez la priorité à un sommeil suffisant et à l'exploration de pratiques holistiques.

Vous pouvez avoir des problèmes digestifs et prendre du poids.

Dates importantes

19/02 Le Soleil entre en Poissons

23/02 Mercure entre en Poissons.

28/02 Soleil conjonction Saturne en Poissons.

03/10 Nouvelle lune en Poissons

17/03 Soleil conjoignant Neptune en Poissons.

22/03 Mars entre en Poissons.

29/06 Saturne rétrograde en Poissons

07/02- Neptune rétrograde en Poissons

18/09- Pleine Lune et éclipse partielle de Lune en Poissons.

15/11 Saturne direct en Poissons

12/07 Saturne direct en Poissons.

Introduction. Numérologie 2024

Il n'y a pas de hasard, il y a de la synchronicité. Nous naissons tous à un jour, un lieu, une date et une heure qui ne sont pas des caprices du destin. Nous apportons avec nous des missions spécifiques et des leçons de vies antérieures.

En utilisant la numérologie, nous aurons une plus grande autonomie et prendrons notre destin en main.

La numérologie est l'étude des nombres et de leur signification. C'est une discipline basée sur le concept que le nom, le jour, le mois et l'année de votre naissance contiennent des informations fondamentales sur vous. En analysant les valeurs numériques des lettres qui composent votre nom et votre prénom et les chiffres de votre date de naissance, vous pouvez découvrir des aspects importants de votre personnalité et de votre but dans la vie.

La numérologie est une ancienne tradition ésotérique utilisée par les mystiques et les philosophes depuis des milliers d'années en Chine, en Grèce, à Rome et en Égypte.

La numérologie est la correspondance entre les nombres et les événements et l'analyse de leur influence sur la vie. Nous pouvons utiliser la numérologie pour apprendre à nous connaître et explorer nos talents. La numérologie est si vaste qu'elle peut être utilisée pour obtenir des informations sur la santé, la carrière, les relations et les objectifs de vie.

On attribue à Pythagore le mérite d'avoir été le premier à maîtriser cet outil, ce qui explique qu'il soit considéré comme le père de la numérologie. Non seulement il a grandement contribué à l'avancement et au raffinement de la numérologie, mais il est également le créateur de nombreuses hypothèses mathématiques.

Numérologie 2024

*Selon la numérologie, 2024 ajoute le chiffre **8**.*

Ce nombre est lié à l'abondance, au pouvoir, à l'équilibre et à la justice.

En cette année 2024, nous devons réévaluer notre rapport à la prospérité. Nous devons être organisés, payer nos dettes financières et organiser notre vie de manière plus efficace. C'est une année où nous devons valoriser notre temps et nous concentrer sur ce qui est important.

Nous devons apprendre à vivre sans peur et essayer de guérir nos blessures au niveau subconscient.

Cette année vous donnera l'occasion de prospérer spirituellement et matériellement. Pour ce faire, vous devez augmenter votre niveau d'estime de soi.

Cette année sera riche en défis, mais n'oubliez pas que vous en tirerez des enseignements.

Les critiques et les soulèvements contre les abus, les tyrannies, la violence et les dictatures se multiplieront dans le monde entier.

Quelle est la signification spirituelle du nombre 2024 ?

Les significations des différents chiffres qui composent le nombre 2024 selon la numérologie sont les suivantes :

Le chiffre 2 symbolise la dualité, la famille, la vie privée et la vie sociale. Vous apprécierez la vie domestique et les réunions de famille.

Le chiffre 2 indique une personne sociable, amicale et empathique. C'est le chiffre de la coopération, de l'adaptabilité et de la considération pour les autres. Ce nombre symbolise l'équilibre, l'unité et l'affinité. C'est aussi un excellent médiateur, honnête et diplomate. Il représente l'intuition et la vulnérabilité.

Le chiffre 4 établit la stabilité et évoque le sens du devoir et de la discipline. Il évoque la construction d'une base solide. Ce chiffre apprend à évoluer dans le monde matériel et à développer l'esprit logique.

Le chiffre 0 : tout commence au degré zéro et se termine au point zéro. Parfois, nous ne connaissons pas la fin, mais nous connaissons le début, qui est le point zéro.

La Force.

La force est à la fois la carte 11 et la carte 8 du Tarot. Cette carte du Tarot symbolise la constance, la force et la ténacité pour survivre.

Cet arcane représente la capacité à surmonter les obstacles. Le pouvoir de l'intelligence sur la force. Il représente également la patience, l'intuition et la réconciliation des contraires.

D'un point de vue astrologique, l'arcane La Force du Tarot est lié au signe zodiacal du Lion et à la planète Mars.

Cette carte de tarot a deux perspectives numérologiques : elle est le numéro 11 dans le Tarot de Marseille, un numéro de maître, et le numéro 8 dans le Tarot de Rider Waite.

La force est le prototype de l'endurance. Toujours en contact avec son intuition et sa créativité, mais avec un talent surdéveloppé, de la vivacité, de la perception et de la subtilité.

La Force a la capacité de contrôler les instincts les plus essentiels pour atteindre ses objectifs. Elle n'abandonne jamais, elle ne s'éteint pas, elle résiste.

La Force atteint invariablement ses objectifs, surmontant toutes les difficultés avec perspicacité et astuce.

Cet arcane mettra à l'épreuve votre résistance, votre force d'âme, votre tolérance, vos limites et, si vous voulez vraiment changer quelque chose ou atteindre un objectif, vous devrez persévérer sans renoncer à essayer.
Cela signifie que pour atteindre vos objectifs, vous devrez cesser d'être impatient, bannir la peur et enterrer votre ego.

Si, l'année dernière, vous avez essayé d'atteindre un objectif et que vous avez échoué, c'est que vous n'avez pas utilisé les bonnes méthodes. Cette année, la Force vous demande donc non pas de changer d'objectif, mais de changer votre attitude et les méthodes qui ne vous conviennent pas.

Vous devez utiliser les énergies de la Force des arcanes pour vous remplir de courage et d'endurance. Vous devez être stoïque, audacieux et déterminé à surmonter vos peurs, et vous ne réussirez qu'avec de la discipline et de la persévérance.

Rien ne vous empêchera d'atteindre vos objectifs, mais vous ne devez pas être pressé et vous ne devez pas tourner le dos aux défis qui se présentent à vous.

C'est un arcane de pouvoir, vous ne devez pas être pressé, acceptez les défis et continuez avec patience. Vous avez le pouvoir et l'endurance nécessaires pour vaincre. Ne vous sentez pas coupable des choses qui sont hors de votre contrôle, concentrez-vous sur vous-même, sur votre moi intérieur. Vous devez vous perfectionner pour donner le meilleur de vous-même.

En amour, cette carte du tarot indique la fidélité et la stabilité des relations. Elle symbolise l'effort quotidien que chaque couple doit fournir pour maintenir une relation saine afin qu'elle devienne une union heureuse.

D'un point de vue matériel, cette carte du tarot annonce qu'une saison prospère s'annonce et que, si vous êtes astucieux, vous saurez maîtriser toutes les situations, même les plus difficiles. Vous recevrez toute la reconnaissance que vous méritez, vous serez récompensé. C'est l'année de la réalisation de vos rêves.

Votre capacité de travail augmentera, vous serez persévérant et capable de planifier et d'aller plus loin, toujours en pensant à l'avenir.

Cette carte du tarot annonce que votre santé sera bonne, car vous aurez beaucoup de vitalité. Vous devrez être discipliné dans votre bien-être, mais vous êtes sur la bonne voie, vous serez en très bonne santé.

*Cette carte du Tarot, **La Force,** vous rappelle que vous avez la capacité et la force intérieure d'atteindre tous les objectifs que vous vous fixez.*

Nombre de Trajectoire de vie ou de mission

Pour calculer votre chemin de vie ou numéro de mission, le chiffre qui indique vos compétences et aptitudes et vous donne des indices sur les opportunités de votre vie, vous devez additionner votre date de naissance, c'est-à-dire faire la somme de tous les chiffres de votre date de naissance.

Par exemple, si un homme nommé Juan Carlos Pau est né le 7 décembre 1965, son numéro de naissance est le 4.

La procédure est la suivante :

7 + 1 + 2 + 1 + 9 + 6 +5 = 31

Ce nombre est dérivé de la place numérique du mois dans l'année, qui est 12, de la date numérique du mois, qui est 7, et de la division numérique de l'année, qui est 1, 9, 6 et 5.

Comme 31 est un nombre composé, il est séparé et additionné :

3 + 1 = 4

Dans cet exemple, le nombre du chemin de vie de Juan Carlos est le 4, un nombre qui atteint ses objectifs grâce à une combinaison d'attitude tenace, de bon jugement et d'amour.

Signification du chiffre 1

Le chiffre un représente l'unité. Ces personnes se caractérisent par le désir de faire ce qu'elles veulent et d'imposer ces désirs à leur entourage. Ces personnes sont très intelligentes, car en apparence, elles vous font croire qu'elles ont accepté votre opinion, mais en coulisses, elles font ce qu'elles veulent.

Ce sont des personnes très énergiques et rebelles, mais la plupart d'entre elles réussissent, quelle que soit leur profession.

Ils veulent que les réalisations de leur vie laissent une trace et craignent de ne pas être reconnus au travail et dans leur carrière.

Le chiffre 1 représente la capacité à s'adapter et à réagir aux changements prévus et imprévus.

Elles symbolisent le mieux le leadership et la générosité. Ce sont des personnes intelligentes et extraverties. Elles ont une forte personnalité et sont enclines à être quelque peu égoïstes.

Les personnes ayant ce nombre vivent leur vie avec intensité, sans limites. Elles n'ont pas de problèmes éthiques et se comportent avec passion et insouciance.

Lorsqu'ils croient en une idée ou une cause, ils la défendent jusqu'au bout. Leurs convictions sont si profondes qu'ils sont prêts à se battre pour protéger ce qu'ils croient juste.

Ce sont des personnes déterminées ; lorsqu'elles se fixent un objectif, elles l'atteignent, même si elles rencontrent un million d'obstacles sur leur chemin. Elles ne craignent pas de se sacrifier.

Ils sont très amicaux et ont un grand sens de l'humour. Ils sont généralement populaires et c'est un plaisir de les côtoyer.

Ils sont sensibles aux offenses, mais ne prennent pas au sérieux celles qu'ils infligent eux-mêmes. Si quelqu'un les blesse profondément, ils n'hésitent pas à se venger et deviennent des individus cruels.

Leur mission dans la vie n'est pas seulement d'atteindre leurs propres objectifs, mais aussi d'aider les autres à les atteindre. Ils ont la capacité de motiver les autres.

Le défi pour les personnes ayant ce numéro est de ne pas être aussi égocentriques et de transmettre à leur entourage leur enthousiasme pour l'action.

Ce sont des personnes très indépendantes et si, en raison de certaines circonstances de la vie, elles doivent dépendre de quelqu'un d'autre, elles tombent dans la dépression.

Leur aspiration dans la vie est d'être indépendants et, une fois qu'ils y parviennent, ils se concentrent sur leur rôle de leader.

Quel que soit le secteur dans lequel il opère, le numéro 1 sera toujours aux commandes et dictera les règles dans son domaine de travail ou sa profession.

Les aspects négatifs du numéro 1 sont le narcissisme, l'égocentrisme et l'irritation. Ils sont parfois susceptibles d'avoir une ambition incontrôlée et d'être arrogants, vaniteux et impertinents.

Signification du chiffre 2

Les personnes portant le chiffre 2-2 sont caractérisées par leur protection, leur noblesse et leur affabilité.

Elles aiment accueillir des gens chez elles et s'occuper d'eux, ce qui les remplit d'exaltation et de plaisir. Elles sont généreuses et ont généralement beaucoup d'amis.

Ils aiment organiser des fêtes et n'oublient jamais les anniversaires des amis et des parents, sans oublier les anniversaires de mariage.

Les personnes portant le chiffre 2 sont toujours impliquées dans des activités communautaires ou affiliées à des groupes politiques. Ces activités satisfont leur besoin de reconnaissance et leur permettent de socialiser avec d'autres personnes.

2 est une personne attentionnée et serviable. Il aime se sentir aimé et utile.

L'enfance des personnes portant le chiffre 2 est bonne. Elles sont capables de donner de l'amour. Elles sont également très intuitives en ce qui concerne les émotions des autres et peuvent lire dans l'âme des autres. Elles détestent être seules.

Le numéro 2 typique possède toujours une maison pleine d'amis et, s'il ne peut pas venir, il a recours à de longues conversations au téléphone avec ses amis et ses proches.

La vie sociale et familiale est importante pour le numéro 2, qui se marie généralement très jeune en raison de son désir de fonder une famille et a souvent beaucoup d'enfants, ce qui fait de lui un bon parent.

Les conflits leur font peur car ils n'ont pas un esprit résistant et stable.

Elles excellent dans leur domaine professionnel, mais il leur est difficile d'atteindre le succès absolu parce qu'elles manquent de persévérance. Elles sont également un peu paresseuses, même si elles ne se l'avouent pas à elles-mêmes.

En cas d'échec, ils cherchent des excuses dans des facteurs externes, mais ne procèdent jamais à une analyse constructive des particularités de leur personnalité qui ont déclenché l'échec.

Leur aspiration est de capter l'attention des personnes qui les entourent. Pour ce faire, ils séduisent leur entourage en leur donnant ce qu'ils désirent. Le problème, c'est qu'ils promettent plus qu'ils ne peuvent tenir.

Ils peuvent devenir des parents très permissifs et élever des enfants désobéissants.

Ils sont attirés par les caresses, ils ont besoin de prendre dans leurs bras et d'embrasser tous ceux qu'ils aiment et ils adorent être embrassés et pris dans leurs bras.

Ils excellent dans les sports, en particulier les sports d'équipe.

Ils sont attachés à la nature et organisent donc souvent des excursions avec leur famille et leurs amis.

Si vos ressources financières le permettent, vous possèderez une maison à la campagne où vous serez heureux, en contact avec la nature et les animaux.

Au travail, les personnes ayant ce numéro sont celles qui travaillent avec le public et qui gèrent du personnel.

Signification du chiffre 3

Le chiffre 3 représente l'expansion. Ces personnes se caractérisent par leur perspicacité à réaliser tout ce qu'elles désirent.

Ce sont des personnes analytiques qui étudient en détail toutes les informations qui leur parviennent afin de tirer le meilleur parti de chaque opportunité.

Ils persistent dans leurs objectifs et sont prêts à tout pour les atteindre. Cependant, la force qu'elles ont déployée au début s'estompe au fil du temps et leurs objectifs ne sont pas atteints. Dans ce cas, elles changent de plan.

S'ils veulent quelque chose et qu'ils trouvent un chemin plus court pour atteindre leur destination, ils le suivront, que ce chemin soit moralement correct ou non.

Nombreux sont ceux qui manquent de volonté et d'endurance pour surmonter les difficultés auxquelles ils sont confrontés.

Leurs sentiments sont volatiles, un jour ils sont enthousiastes, mais un mois plus tard ils peuvent se désintéresser complètement de la question.

Les personnes ayant le chiffre 3 sont fascinées par le recommencement.

Tant qu'ils s'intéressent à quelque chose, ils y consacrent toutes leurs aptitudes mentales et leurs compétences, mais ils ne sont pas en mesure de maintenir cet intérêt longtemps.

La routine les fatigue et lorsqu'ils changent d'intérêt, ils redeviennent enthousiastes.

Il en va de même en amour. La personnalité 3 est narcissique et a du mal à entretenir des relations stables.

Elles sont séduisantes, chaleureuses, charismatiques et amicales. Si elles veulent conquérir quelqu'un, elles y parviendront car la personne ne pourra pas résister à leurs séduisantes méthodes de séduction.

Ils tombent généralement amoureux au premier regard et pensent que la personne qu'ils ont rencontrée est leur âme sœur.

Ils se sentent ainsi et, au début de leur relation, ils pensent déjà au mariage et aux enfants. Malheureusement, cela ne se produit pas car la passion disparaît avant qu'ils n'atteignent l'autel.

Ils ont tendance à avoir deux personnalités. D'une part, elles essaient de sauver les apparences, de paraître sûres d'elles aux yeux du monde et de soigner leur image. D'autre part, elles ressentent une insécurité intérieure et craignent que quelqu'un ne les démasque.

Ils suivent leur intuition : s'ils ont blessé quelqu'un, des excuses sincères ne poseront pas de problème.

Signification du chiffre 4

Le chiffre 4 symbolise la volonté. Les personnes portant le chiffre 4 confondent souvent ténacité et entêtement.

Ils ont tendance à défendre leurs opinions devant les autres et continueront à le faire, même si les faits leur donnent tort.

Ils ont du mal à reconnaître qu'ils ont tort et n'acceptent presque jamais leurs erreurs.

Le 4e est caractérisé par la responsabilité. Dans le travail, cette qualité est admirable. S'il doit terminer un travail, il peut veiller toute la nuit pour le faire à temps.

Au travail ou dans toute autre activité, le 4 aura une très bonne présence.

Il ne manquera à ses devoirs sous aucun prétexte, la seule chose qui pourrait l'en empêcher serait une maladie grave.

A la maison et avec leur partenaire, les n°4 sont des personnes difficiles car ils exagèrent les situations et ont tendance à se noyer dans un verre d'eau. Ils créent des problèmes pour des broutilles, ce qui irrite beaucoup leur entourage.

Ces accès de mauvaise humeur ne durent pas longtemps et le numéro 4 retrouve rapidement son calme et oublie l'incident.

Optimistes et sarcastiques, ils ont l'esprit vif et un sens de l'humour qui amuse leurs amis.

Ils ont une vision analytique du caractère des autres et peuvent déceler les défauts que les gens veulent cacher. Il est difficile de tromper un numéro 4 et ceux qui essaient sont victimes de leur satire.

Un numéro 4 a peu de chances d'assister à une fête et de passer inaperçu, car son sens de l'humour et sa personnalité extravertie l'amèneront au centre de l'attention.

Parmi ses aspects négatifs, on peut noter que le nombre 4 a tendance à connaître des moments de tristesse, durant lesquels il concentre ses énergies de manière négative.

Il passe généralement ces moments mélancoliques à analyser sa vie, mais à cause de sa mauvaise humeur *et de son manque d'enthousiasme, il finit par être insatisfait de lui-même et de sa vie.*

Vous vous sentez seul et vous ne parlez de vos pensées à personne. Vous aimez paraître confiant et optimiste et cacher vos insécurités.

Signification du chiffre 5

En numérologie, le chiffre 5 est connu comme l'ermite expert.

Les personnes ayant ce numéro considèrent la vie comme une aventure passionnante.

Ils sont analytiques et logiques et aiment découvrir les mystères de tout ce qui se passe autour d'eux. L'ignorance et le manque de connaissances les ennuient.

L'intelligence est leur meilleure vertu. Ils sont brillants et ils le savent, ils sont donc un peu arrogants, curieux et essaient d'accroître leurs connaissances.

Ce sont généralement des personnes mélancoliques et introverties. Cependant, elles savent écouter les autres et prodiguer des conseils.

Votre but dans la vie est d'apprendre et l'argent pour le numéro 5 n'est qu'un moyen de voyager ou de gagner du temps pour vous consacrer tranquillement à l'étude des sujets qui vous intéressent.

L'enrichissement n'est jamais votre but et vos énergies seront concentrées sur quelque chose de plus élevé.

Ils ne sont pas très communicatifs et parfois même leurs amis proches les considèrent comme des inconnus. Il est important pour un numéro 5 de protéger sa vie privée et de maintenir une distance émotionnelle avec les autres, car il se sent ainsi protégé. Sinon, il s'isole des personnes auxquelles il tient le plus.

Les numéros 5 sont des intellectuels, mais ils peuvent aussi se consacrer à la vie religieuse.

Certains sont introvertis et apprécient la solitude comme personne d'autre. Ils détestent être harcelés et aiment que leur vie privée soit respectée.

Ils sont accueillants et nouent toujours des amitiés solides et durables, mais n'ont pas une vie sociale aussi active.

Ils ont une imagination et une capacité intellectuelle incroyables. Ils aiment profiter de leur temps car, pour eux, le divertissement est une façon de le gaspiller. Si cela ne tenait qu'à eux, ils consacreraient chaque minute de leur vie à l'étude.

Le numéro 5 a besoin d'affection et de se sentir aimé, mais il ne sait pas comment le demander ni comment s'adresser aux autres. Il est déconnecté de ses propres *émotions, et ses propres sentiments lui sont étrangers, comme si c'était quelqu'un d'autre qui les ressentait.*

Ils ont tendance à être égoïstes avec l'argent, ce qui ne signifie pas qu'ils sont impatients d'accumuler des richesses, mais plutôt qu'ils préfèrent gérer leurs ressources de manière à avoir l'esprit tranquille et à pouvoir consacrer leurs capacités intellectuelles à des sujets qui les intéressent vraiment.

Lorsque quelqu'un offense un numéro 5, il ne répond pas par des insultes ou des bagarres, mais si l'offense est grande, le numéro 5 retire son affection à l'offenseur. Lorsqu'un numéro 5 perd son affection pour quelqu'un, c'est pour toujours. Il est implacable et ne pardonne pas.

Signification du chiffre 6

Les personnes portant le chiffre 6 affichent une apparence paisible à l'extérieur. Ce n'est qu'une façade, car à l'intérieur, elles sont souvent tourmentées par des problèmes existentiels et des peurs.

Elles ressentent constamment un sentiment de danger, qui peut soit exister réellement, soit n'être que le fruit de leur imagination. Elles peuvent avoir une peur profonde du changement, des erreurs, de la solitude et de la trahison.

Elles souffrent d'insécurité et d'un manque de confiance en elles. Elles se croient incapables de faire face à des situations conflictuelles et cela les terrifie.

Elles communiquent bien en société malgré leur timidité. Cependant, elles ont tendance à se sentir observées et persécutées, et ne font donc confiance à personne. Elles doutent des intentions des gens et cette attitude les conduit parfois à s'isoler.

Les personnes portant le chiffre 6 détestent la confusion dans les relations amoureuses, elles disent clairement ce qu'elles ressentent et attendent la même chose de leur partenaire. Elles s'efforcent d'être gentilles et polies.

Le numéro 5 a une double personnalité, son monde intérieur est totalement différent de ce qu'il montre à l'extérieur.

Le numéro 6 u du mal à se connaître, il est instable et passe d'un optimisme exagéré à un pessimisme dramatique, il n'arrive pas à trouver l'équilibre.

Dans leurs relations, ils oscillent d'un extrême à l'autre ; s'ils rencontrent quelqu'un qui leur plaît, ils le considèrent immédiatement comme le meilleur ami du monde. Cependant, ils finissent par être désillusionnés et s'éloignent de cette personne.

Pendant l'enfance, les personnes ayant le chiffre 6 ont craint les personnes autoritaires. La plupart d'entre elles ont été élevées par des personnes possessives qui ont amplifié cette insécurité du chiffre 6.

À l'âge adulte, ils tentent de contrer ce sentiment d'insécurité en établissant une relation avec une personne qui les protège émotionnellement.

Lorsqu'il s'agit de prendre une décision, le numéro 6 est réticent à donner son avis ou à se prononcer sur une question. S'il est contraint de donner son avis, il est peu probable qu'il montre ce qu'il ressent vraiment, à moins qu'il ne soit avec des personnes en qui il a confiance.

Elles sont énergiques et efficaces au travail. Elles sont capables de se concentrer.

Ils parviennent à gravir les échelons et à occuper des postes importants grâce à leur sens du détail et à leur persévérance.

Je suis capable de travailler en équipe et d'exécuter les ordres sans problème.

Ils sont attentifs aux membres de la famille et montrent facilement leur affection.

Signification du chiffre 7

Le chiffre 7 est considéré comme le chiffre le plus spirituel. Ces personnes ont une énorme capacité intuitive.

Ce qui les tourmente, c'est le sentiment de ne pas profiter pleinement de la vie. Ils ont constamment besoin de nouvelles expériences qui leur permettent d'apprendre et d'intégrer des connaissances. Elles aiment voyager, découvrir d'autres cultures, apprendre de nouvelles langues et sont prêtes à tout pour satisfaire leur désir d'aventure.

En général, les personnes portant le chiffre 7 ont eu une enfance où elles ont été stimulées intellectuellement, ont appris à penser par elles-mêmes et ont beaucoup de bon sens.

Vous aimez avoir des relations avec les gens et établir des liens permanents. L'amitié est une affaire sérieuse pour le numéro 7, qui a peu d'amis, mais qui entretient des amitiés à vie.

Elles sont compréhensives et compatissantes. Elles sont empathiques et se mettent à la place des autres.

Elles sont généralement impliquées dans des activités caritatives.

Il n'est pas facile de tromper un numéro 7 grâce à son intuition, car il détecte facilement le mal, le mensonge et les mauvaises intentions. Ils choisissent bien les personnes de leur entourage, aiment les personnes altruistes et se tiennent à l'écart des personnes insensibles et égoïstes. Cette attitude leur vaut la réputation d'être arrogants.

Ils souhaitent un équilibre entre la vie sociale et le temps passé seul pour réfléchir à leur situation.

Le numéro 7 est utopique, il entreprend des activités qu'il n'achève jamais ou fait des projets qu'il ne réalise jamais. Il est donc susceptible de souffrir de pessimisme.

Elles se laissent guider par leur intuition. Ils sont extravertis et aiment s'amuser. La solitude n'est jamais appréciée par le numéro 7 et provoque des changements dans son tempérament.

Les 7 se caractérisent par leur caractère studieux et introspectif. Ils aiment analyser les connaissances et adopter de nouvelles perspectives sur les sujets qu'ils découvrent.

Ils aiment les débats intellectuels, où ils peuvent défendre leur point de vue tout en écoutant celui des autres.

Durant l'enfance, le chiffre 7 a été amené à surmonter les peurs en faisant appel à l'imagination. Les personnes portant ce chiffre n'ont souvent pas eu de bonnes relations avec leurs parents et se sont rebellées contre l'autorité parentale. Quand elles le veulent, elles peuvent être tout à fait charmantes et s'attirer les faveurs de tout le monde.

Signification du chiffre 8

Les personnes portant le chiffre 8 se caractérisent par une grande sensibilité. En raison de cette sensibilité, elles sont influençables. Elles doivent être traitées avec douceur, car elles peuvent être facilement blessées.

Dans la sphère sociale, elles brillent par leur amabilité, leur charisme et leur vivacité d'esprit. Elles séduisent par leurs manières et leur éducation.

Elles jugent les autres avec une certaine sévérité. Elles ont tendance à être compréhensives à l'égard de leurs propres erreurs, mais dures et exigeantes à l'égard des erreurs des autres.

Ils n'acceptent pas que l'on souligne leurs erreurs et ne laissent guère passer celles des autres. L'indulgence n'est légitime que pour eux-mêmes. Elles peuvent être un peu cruelles.

Le numéro 8 a généralement une très bonne image de lui-même et le démontre par des commentaires sarcastiques.

Au travail, elles ne savent pas travailler en équipe, sont rebelles et génèrent beaucoup de conflits. Ils sont enclins à s'apitoyer sur leur sort et pensent qu'ils sont les personnes les plus malheureuses et misérables de la planète.

Sur le plan émotionnel, ils sont très inconstants : un jour, ils peuvent être très intéressés par quelque chose ou quelqu'un, et le lendemain, ils peuvent s'en désintéresser complètement. En amour, elles peuvent être très affectueuses à un moment et totalement indifférentes le lendemain.

Ils aiment voir leurs souhaits se réaliser et utilisent les mots pour y parvenir, car ils sont d'excellents orateurs et peuvent facilement convaincre n'importe qui.

Leur comportement varie selon leur convenance. Ils sont rebelles sans raison et n'aiment pas suivre les ordres. Cependant, si cela leur convient, ils se comportent comme les personnes les plus dociles du monde.

Amoureux de l'argent, les numéros 8 vivent confortablement sans problèmes financiers. Ils sont économes et bons gestionnaires.

Si quelqu'un les blesse, ce qui est facile, ils deviennent vengeurs et ne s'arrêtent pas tant qu'ils n'ont pas l'impression d'avoir été récompensés en nature. Cependant, avec les personnes en qui elles ont confiance, elles sont sensibles et toujours prêtes à aider leurs proches.

Le numéro 8 n'est pas une personne mélancolique ou réfléchie. Il aime profiter des plaisirs de la vie sans se poser de problèmes philosophiques ou existentiels. Il est généralement de nature joyeuse dans ses relations avec les autres.

Signification du chiffre 9

Les personnes portant le chiffre 9 sont mentalement indépendantes et souffrent si elles se sentent contraintes.

Leur personnalité est extrêmement optimiste, ils parviennent à trouver un côté positif à tout, indépendamment du caractère dramatique de chaque situation.

Il est direct et honnête et, s'il a des collaborateurs sous ses ordres, il prend des décisions impartiales. Cette caractéristique lui vaut rapidement l'estime de ses subordonnés.

Ils détestent la trahison ; s'ils trahissaient quelqu'un, ils ne se le pardonneraient jamais. Elles savent dire les choses de manière à ne blesser personne. Dans la sphère sociale, elles se distinguent par leurs réponses brillantes.

Elles sont observatrices et ont le souci du détail. Elles savent à qui faire confiance et à qui ne pas faire *confiance, bien qu'elles ne traitent jamais personne mal.*

Ils ne sont jamais de mauvaise humeur, leur caractère est joyeux et c'est pourquoi tout le monde veut être avec eux.

Le péché du numéro 9 est la paresse. Il n'est pas actif, il aime dormir et se reposer sans rien faire. Ils sont méfiants et se laissent facilement influencer par les autres.
Ils n'ont pas d'objectifs clairs et se laissent emporter par les idées des autres. Parfois, ils sont irresponsables, se laissent emporter par leurs émotions et ne pensent pas aux conséquences.

En général, ils ont de la chance, mais par négligence, ils ratent des occasions que d'autres auraient pu saisir immédiatement.
Ils craignent les difficultés, les fuient lorsqu'elles se présentent et sont incapables de faire face à des situations difficiles.

En amour, le 9 peut avoir tendance à exagérer ses sentiments, mais il est passionné.

Le pessimisme de votre entourage ne vous affecte pas, car votre optimisme résiste à toutes les situations.
Ils ne sont pas rancuniers, ils oublient rapidement les offenses. Ils ont un cœur et une âme nobles.

Elles sont généreuses et toujours prêtes à justifier les fautes des autres ; elles ne sont pas exigeantes envers les autres.

Elles renoncent souvent à leurs propres désirs pour se conformer aux attentes des autres. Ce ne sont pas des battants, ils ont donc tendance à abandonner facilement.

Le phénomène de la répétition des chiffres.

Il est vrai que nous sommes entourés de chiffres et en contact avec eux à chaque seconde, mais il arrive que nous ayons l'impression que certains chiffres nous suivent, partout où nous regardons, nous les voyons se répéter : sur les montres, les ordinateurs, les plaques d'immatriculation des voitures, à la télévision, sur les tickets de caisse et même dans nos rêves. Il n'y a pas de coïncidence, il y a synchronisation, et ce phénomène s'appelle la synchronisation numérique.

Peut-être était-ce rare dans le passé, mais chaque jour, de plus en plus de personnes sont témoins de ce phénomène et beaucoup remettent en question les modèles établis pour tenter de trouver une réponse valable.

Les experts en la matière affirment que ce mystère, associé à une conscience globale plus élevée, crée des sentiments qui font évoluer spirituellement de nombreuses personnes. Le fait de voir des chiffres de manière répétée peut également être considéré comme un signe. Nous avons presque tous des nombres que nous considérons comme chanceux ou favoris et il peut arriver que nous voyions soudainement ce nombre partout. Lorsque nous recevons ce genre de message, le plus souvent caché à nos yeux mais pas à notre esprit, cela montre que nous avons la capacité de percevoir d'autres réalités.

De l'Antiquité à nos jours, la science sacrée de la numérologie a conservé son importance. Les nombres enseignent des opportunités de croissance, des leçons de vie et des instructions dans chaque expérience.

Certaines personnes voient des séquences numériques dans certains événements importants, mais les plus courants sont 11 :11, 222 et 333. Tous ces nombres, selon l'astrologie et la numérologie, sont des nombres maîtres ayant une signification unique, représentant différents aspects du moi intérieur, de la personnalité à la spiritualité ; ces nombres sont plus influents que d'autres et attirent donc notre attention.

11 :11 - Observez attentivement vos pensées et veillez à ne penser qu'à ce que vous voulez et non à ce que vous ne voulez pas. Cette séquence indique qu'une opportunité se présente et que vos pensées se matérialisent très rapidement.

222 - Nos idées nouvellement plantées commencent à porter leurs fruits. Continuez à les cultiver et elles se manifesteront bientôt. En d'autres termes, n'abandonnez pas cinq minutes avant que le miracle ne se produise.

333 - Les maîtres ascensionnés sont proches de toi et ils veulent que tu saches que tu as leur aide, leur amour et leur compagnie. Invoquez souvent les maîtres ascensionnés, surtout lorsque vous voyez des schémas se former autour de vous avec le chiffre 3.

Ces figures augmentent la conscience et la perception parce qu'elles offrent un canal vers le subconscient.

Ce phénomène se produit de manière inattendue, mais au bon moment et pour une raison précise, changeant parfois le cours de notre vie et influençant nos pensées. Lorsque l'univers a un message à nous transmettre, c'est l'une des façons d'attirer notre attention. Nous devons rester réceptifs au monde qui nous entoure, car les nombres sont le langage de la nature et tout ce qui nous entoure peut-être représenté par des nombres.

"Tout dans l'univers est mathématiquement précis et chaque nombre a sa propre énergie, sa propre vibration et sa propre signification. La disposition des nombres dans une séquence a une signification particulière". Pythagore

Numérologie pour les personnes nées en 2024

Enfant numéro 1
Vous serez un enfant doté de compétences en matière de leadership. Vous aurez une capacité innée à négocier, à contrôler et à gérer des personnes et des projets.

Enfants numéro 2
Ce sont des enfants calculateurs et puissants. Ils auront une attitude positive face aux défis de la vie et une grande confiance en eux.

Enfants numéro 3
Ils seront des enfants très justes, raisonnables et calmes.
Ces enfants défendent toujours les bonnes causes. Ils sont très perspicaces et ont un état de conscience élevé.

Enfants numéro 4
Ils seront des enfants toujours à la recherche de défis, ils ne craindront pas les obstacles, car ces revers les rendront plus forts.

Enfants numéro 5
Ce seront des enfants financièrement capables, mais pas matérialistes. Ils auront d'excellentes compétences

en matière d'argent et de gestion d'entreprise. Ils peuvent avoir des compétences en mathématiques.

Enfants numéro 6

Ce sont des enfants qui s'efforcent de maintenir un équilibre entre le monde matériel et le monde spirituel. Ils essaieront toujours de maintenir l'harmonie entre leur vie professionnelle, sociale et personnelle.

Enfants numéro 7

Ils seront des enfants responsables et généreux. Ils sont intelligents et aiment aider les autres. Ils seront également très spirituels.

Enfant numéro 8

Ces enfants seront très stables et maîtres d'eux-mêmes. Ils seront organisés, stables et très prospères.

Enfants numéro 9

Ce seront des enfants au caractère bien trempé. Ils sont travailleurs et assidus. Elles sont indépendantes et font preuve d'une incroyable force de détermination.

Définition de l'année personnelle

Chaque fois qu'une nouvelle année commence, il est probable que vous vous posiez des questions et que vous écriviez des objectifs sans savoir quels défis la nouvelle année vous réserve.

Lorsqu'une année commence, un chapitre de notre vie se ferme, mais un cycle commence qui nous met au défi, car nous ne sommes pas sûrs que tous nos rêves se réaliseront.

Qu'est-ce qui m'attend dans la nouvelle année : vais-je acheter une maison, trouver un nouveau partenaire, changer de travail ? Est-ce la bonne année pour avoir des enfants ?

Il est important d'avoir l'esprit ouvert lorsque nous ne sommes pas sûrs de ce qui est nouveau ou différent. Mais avec la numérologie, nous avons la possibilité d'utiliser notre année personnelle et de nous faire une idée de la façon dont les choses pourraient se dérouler.

Les numéros d'année universels sont différents des autres car ils ne dépendent pas du nom et de la date de naissance. Les deux premiers chiffres du numéro de l'année représentent l'équilibre du siècle. Le troisième chiffre du numéro de l'année symbolise le rythme de la décennie. Le quatrième chiffre n'a pas de signification particulière.

Comment calculer votre année personnelle.

En voici un exemple :

Juan Carlos est né le 7 décembre 1965.

Pour connaître votre année personnelle 2024, nous avons fait ce calcul :

7 (jour de naissance) + 1+2 (mois de naissance) + 2 + 0 + 2 + 4 (début de l'année) = 18 (1 + 8) = 9

Pour Juan Carlos, 2024 est une année 9 personnelle.

Ce nombre est important, surtout si le résultat est l'un des nombres maîtres : 11, 22 et 33.

L'année personnelle décrit ce que vous avez à faire pendant cette période. Il s'agira de choix, de changements ou de renforcements qui enrichiront votre parcours.

Année personnelle 1

Mots clés pour l'année 1 : Transformation, Recherche, Implication.

Un nouveau chapitre de votre vie s'ouvre. Il est probable que vous changiez de domicile, que vous trouviez un nouvel emploi ou que vous rencontriez de nouvelles personnes qui changeront votre vie pour toujours.

Cette année jettera les bases de nouveaux projets et de nouvelles idées. C'est une période de renaissance. Vous devriez voir cette année comme le moment idéal pour changer plusieurs aspects de votre vie, il y a des choses qui ne vous conviennent plus et dont vous devez vous débarrasser.

Cette année vous invite à prendre courage et à essayer de réaliser vos rêves ; vous aurez vraiment l'enthousiasme de faire des changements. Prenez courage et explorez de nouvelles opportunités et attitudes qui vous aideront à changer l'orientation de votre vie.

Cette année 2024 est une invitation personnelle à faire confiance, à réfléchir à ce que vous voulez, à choisir objectivement et à décider ce que vous voulez réussir. Essayez de choisir ce qui vous rend vraiment heureux.

Commencez à dresser la liste des choses que vous voulez changer, y compris les améliorations dans votre vie quotidienne, comme changer vos habitudes alimentaires ou faire de l'exercice. N'oubliez pas que pour commencer quelque chose, il faut le planifier avec persévérance et détermination.

Cette année est l'occasion idéale de clore un cycle ; vous devez laisser derrière vous tout ce qui ne vous sert pas. Concentrez-vous sur ce qui vous aidera à grandir, à vous développer ou à apprendre. Ne craignez pas de laisser tomber ce qui vous a été utile dans le passé.

Il faut oublier le passé et se tourner vers l'avenir. Trop de choses se sont produites qui ont pu embrouiller votre esprit ; ces choses vous empêchent d'accéder aux chemins qui mènent au bonheur.

Si vous avez des entreprises et des projets, essayez de les développer sans forcer les choses. Essayez de donner un rythme à tout.

Essayez de ne pas contracter de nouvelles dettes.

La vie vous récompensera.

Année personnelle 2

Mots clés pour l'année 2 : *responsabilité, harmonie, stabilité.*

Cette année, vous devriez continuer à construire. L'année 2024 vous permettra de trouver des mentors, des enseignants ou même un partenaire. Les énergies de l'année sont axées sur la coopération et la patience.

Vous entrez dans une phase de développement et devez concrétiser vos initiatives. Cette année 2 peut sembler lente, mais c'est une période de définition de vos objectifs.

Il est probable que vous rencontriez des obstacles ou des personnes qui tentent de restreindre votre chemin ; il est donc important de ne pas vous laisser submerger et de ne pas vous angoisser. Vous ne devez pas vous préoccuper de ce qui entrave vos efforts, c'est une évolution naturelle qui fait partie de votre processus de croissance.

Vous devez apprendre à faire preuve de plus de diplomatie et de tact. Les gens peuvent sembler distraits, mais cela ne doit pas vous empêcher de vous faire de nouveaux amis.

Si, lorsque vous avez fait le calcul, la somme était de 11, cela signifie qu'il est temps de respirer, d'évoluer et de prendre conscience.

L'année des bénédictions est à nos portes. Essayez de vous débarrasser de toutes les personnes toxiques si vous voulez avoir une année prospère, ne faites confiance à personne.

L'année 2024 vous offre l'opportunité de vous défaire des soucis du passé et de prendre les rênes de votre vie avec plus d'enthousiasme.

La vie vous présentera de tout nouveaux projets et vous donnera l'occasion de construire votre avenir si vous laissez le passé derrière vous. C'est l'année où il faut penser à soi, dépasser les limites et ne pas s'auto-saboter.

Il faut être courageux et aborder la vie de manière positive.

Année personnelle 3

Mots clés pour l'année 3 *: Agilité, Créativité, Information.*

C'est l'année où vous chercherez à partager votre sagesse avec le monde. Vous aurez le sentiment de faire partie d'un ensemble plus vaste et vous éprouverez beaucoup de satisfaction et d'épanouissement.

Vous devez vous débarrasser des sentiments de restriction que vous avez accumulés. La seule façon d'obtenir des résultats cette année est de laisser votre créativité s'exprimer. Libérez-vous de la rigidité, laissez libre cours à votre imagination. Vous avez besoin d'aller plus loin.

Trouvez un nouveau passe-temps, changez vos habitudes,
Commencer à mettre en œuvre de nouvelles idées et solutions pour relever les défis rencontrés en cours de route.

Vous devrez travailler dur, mais vous aurez l'occasion de renforcer vos liens individuels et d'établir des relations plus formelles. Ces liens seront mis à l'épreuve : certaines relations ne vous conviennent pas. Elles peuvent vous apporter beaucoup de plaisir, mais elles ont un côté sombre. Essayez d'établir des objectifs communs avec les personnes que vous aimez.

Au cours de cette année, vous devrez accorder plus d'attention à votre alimentation et à votre repos, car vos niveaux d'énergie seront faibles.

Année personnelle 4

Mots clés pour l'année 4 : *renouvellement, restauration, innovation, affirmation de soi.*

Cette année, vous devez travailler dur et être organisé. Si vous parvenez à rester dans le présent, vous arriverez à vos fins.

Le moment est venu de réfléchir et d'analyser vos objectifs personnels. Vous devez établir un plan pour atteindre quelque chose de spécifique et de bien structuré.

Essayez de penser à votre avenir, de prendre des responsabilités et d'organiser soigneusement tous vos projets. Vous serez peut-être un peu autocritique, ce qui vous amènera à affirmer vos points de vue et à devenir plus déterminé et plus résolu. C'est une bonne chose, car cela vous permet de prendre conscience de tous les changements qui interviennent dans votre environnement.

Cela aura inévitablement un effet positif sur les relations familiales et les amitiés proches. Vous vous affirmerez davantage, ce qui aura un impact positif sur vos relations personnelles.

Si vous vous organisez, ce sera une année de prospérité, d'abondance et de triomphes. Ayez confiance en vous, car vous pourrez retrouver votre enthousiasme et vivre avec enthousiasme.

L'inertie est votre pire ennemi cette année, tout comme les pensées négatives. Le destin vous offre la possibilité de réaliser tout ce que vous désirez, alors osez-vous battre pour ces rêves.

Année personnelle 5

Mots clés pour la cinquième classe : Caractère, Volonté, Effort, Courage, Reconnaissance, Visualisation.

Une année au cours de laquelle vous vivrez de nombreuses aventures, émotions et où vous aurez l'occasion de planter des graines dans l'intention de réussir.

La cinquième année est comme une injection d'enthousiasme pour vous ; par conséquent, planifiez à l'avance car c'est une année de nombreux changements. Vous devez être prêt à faire face à certains événements imprévus. Essayez d'être réceptif à toutes les opportunités et à tous les défis.

Il faut être lucide, prudent et ne jamais sous-estimer son potentiel.

Essayez d'élargir votre cercle d'amis, de soigner votre image publique et de faire attention aux contrats que vous devez signer.

Prenez soin de vous et vous obtiendrez le succès que vous méritez. Prenez les habitudes qui vous garantiront la prospérité dans les années à venir. Calculez vos risques et saisissez les occasions idéales lorsqu'elles se présentent.

Ne vous précipitez pas et agissez raisonnablement, en pensant toujours à ce qui est le mieux pour vous à long terme. Oubliez les résultats immédiats et acceptez que les choses prennent du temps et que vous ne pouvez pas toujours vous attendre à ce qu'elles se produisent quand vous le souhaitez.

Personnel de l'année 6

Mots clés pour l'année 6 : *réorganiser, relancer, réformer, remplacer, manifester, diffuser, transmettre, informer, participer.*

L'année 2024 vous offre la possibilité de guérir vos blessures sentimentales et de vous débarrasser de toutes les émotions refoulées qui dorment dans votre subconscient.

Vous serez très concentré sur le foyer et la famille. C'est le moment idéal pour créer un environnement plus stable et plus harmonieux autour de vous.

Il est essentiel que vous appreniez cette année à partager tout ce que vous avez reçu en abondance. Vous devez également éviter les actions impulsives afin de ne pas commettre d'erreurs.

Agissez toujours de manière éthique, essayez de rester calme et confiant dans vos décisions. Vous obtiendrez des résultats incroyables et tout cela grâce à votre courage. Tout ce qui était paralysé se mettra soudain à couler et vous vous sentirez libéré. Il peut y avoir des périodes d'instabilité, mais elles sont nécessaires pour briser la routine.

Vous aurez l'occasion de voyager, de vous amuser et de contrôler les excès de toute nature.

Année personnelle 7

Mots clés pour l'année 7 *: Investigation, Observation, Vérification, Contrôle, Transformations, Métamorphose.*

Cette année apportera de nombreux changements. Ces changements peuvent concerner les amitiés, les relations, le travail et la maison.

Il y a la possibilité de rencontrer quelqu'un d'important qui vous aidera à progresser dans votre profession ou peut-être à vous fiancer.

Il s'agit d'une année "entre parenthèses", puisqu'il y aura une pause pour
Valoriser tout ce que vous avez fait. Vous devez vous débarrasser de tout ce qui ne fonctionne pas, qu'il s'agisse d'objets ou de relations.

Pour ce faire, vous devez aiguiser vos capacités d'analyse et ne pas craindre d'analyser en profondeur ce qui vous limite.

Grâce à ces processus de purification, vos relations seront discutées. La confrontation permet d'éliminer les erreurs et les fautes.

Vous serez attiré par des thèmes ésotériques, mais vous grandirez spirituellement. N'oubliez pas que chacun entre dans cette vie avec un contrat différent du vôtre et que vous ne devez pas juger le chemin des autres. Chacun est là où il doit être.

Année personnelle 8

Mots clés pour l'année 8 : *succès, évolution, restauration, transformation, réhabilitation, reconstruction, prospérité.*

L'abondance et le succès viendront à vous. Vous vous sentirez béni par toutes les opportunités qui se présenteront à vous. Cette année personnelle est liée au karma, donc si vous avez bien travaillé, des dividendes vous attendent. Ce sera une année importante au cours de laquelle vous serez très occupé.

Cette année, vous devez remettre chaque pièce à sa place. Il est temps de prendre des décisions, de réfléchir et de choisir ce que vous voulez et qui vous voulez dans votre vie.

Vous aurez davantage confiance en vous et disposerez d'une plus grande capacité mentale pour relever les défis. Vous devriez prendre des risques et entreprendre des études qui vous aideront à progresser dans votre profession.
Vous devriez profiter de moments de solitude, accompagné de vos pensées, loin de l'agitation des médias sociaux. Pratiquez la méditation combinée à des techniques de respiration.
N'accordez pas trop d'importance aux questions superflues et aux personnes toxiques.

Année personnelle 9

Mots clés pour l'année 9 *: Surmonter, Terminer, Conclure, Réaliser, Sentir, Percevoir, Éduquer, Former, Étudier, Expérimenter, Approfondir.*

Cette année, il sera difficile de résister au changement. C'est une année de fin. Jetez ce qui est inutile et tenez-vous à l'écart des vampires énergétiques.

Entourez-vous de personnes qui vous apportent connaissances et bonne énergie. Protégez-vous de la magie noire. Organisez votre maison, jetez ce que vous n'utilisez pas, les objets abîmés, car cela fera de la place pour le nouveau.

Le destin vous crie à l'oreille ce que vous voulez vraiment et si vous êtes prêt à vous battre pour l'obtenir.

L'engagement de cette année est le vôtre, vous devez Laissez tomber vos peurs et vos insécurités, car pendant cette période, vous devez être vigilant et ne pas trop vous plaindre.

A propos de l'auteur

Outre ses connaissances astrologiques, Alina A. Rubi possède une riche expérience professionnelle. Rubi possède une riche expérience professionnelle ; elle est certifiée en psychologie, hypnose, reiki, guérison bioénergétique avec des cristaux, guérison angélique, interprétation des rêves et est formatrice spirituelle. Rubi a des connaissances en gemmologie, qu'elle utilise pour programmer des pierres ou des minéraux en amulettes puissantes ou en talismans protecteurs.

Rubi a une nature pratique et orientée vers les résultats, ce qui lui a donné une vision spéciale et intégrative des différents mondes, facilitant la recherche de solutions à des problèmes spécifiques. Alina rédige des horoscopes mensuels pour le site web de l'Association américaine des astrologues, qui peuvent être consultés à l'adresse www.astrologers.com. Elle tient actuellement une chronique hebdomadaire dans le journal El Nuevo Herald sur des sujets spirituels, publiée tous les dimanches en format numérique et les lundis en format papier. Il présente également un programme *hebdomadaire et un horoscope sur la chaîne YouTube du journal. Son annuaire astrologique est publié chaque année dans le journal Diario las Américas, avec la rubrique Rubi Astrologa.*

Rubi a écrit plusieurs articles sur l'astrologie pour la publication mensuelle "Today's Astrologer" et a donné des cours sur l'astrologie, le tarot, la lecture des lignes de la main, la guérison par les cristaux et l'ésotérisme. Elle diffuse des vidéos hebdomadaires sur des sujets ésotériques sur sa chaîne YouTube : Rubi Astrologer. Elle a eu sa propre émission d'astrologie diffusée quotidiennement sur Flamingo T.V., a été interviewée par divers programmes de télévision et de radio et publie chaque année son "Annuaire astrologique" avec l'horoscope signe par signe et d'autres sujets mystiques intéressants.

Elle est l'auteur des livres "Rice and beans for the soul" Part I, II et III, une collection d'articles ésotériques publiés en anglais, espagnol, français, italien et portugais. Money for Every Pocket", "Love for Every Heart", "Health for Everybody", Astrological Yearbook 2021, Horoscope 2022, Rituals and Spells for Success in 2022, Spells and Secrets 2023, Astrology Lessons, Rituals and Spells 2024 et Chinese Horoscope 2024 sont disponibles en neuf langues: anglais, russe, portugais, chinois, italien, français, espagnol, japonais et allemand.

Rubi parle couramment l'anglais et l'espagnol et combine tous ses talents et connaissances dans ses lectures. Elle vit actuellement à Miami, en Floride.

Pour plus d'informations, veuillez **consulter le site** www.esoterismomagia.com.

Angeline A. Rubi est la fille d'Alina Rubi. Elle est l'éditrice de tous les livres. Elle étudie actuellement la psychologie à l'université internationale de Floride. Elle est l'auteur de Des protéines pour votre esprit, un recueil d'articles métaphysiques.

Elle s'intéresse aux sujets métaphysiques et ésotériques depuis son enfance et pratique l'astrologie et la Kabbale depuis l'âge de quatre ans. Elle connaît le tarot, le reiki et la gemmologie.

Pour de plus amples informations, veuillez la contacter par courrier électronique : *rubiediciones29@gmail.com*

Milton Keynes UK
Ingram Content Group UK Ltd.
UKHW050658291223
435170UK00012B/436